Le vocabulaire
par les exercices

6ᵉ

Thomas GARGALLO
Agrégé de Lettres modernes
Collège Janson de Sailly, Paris

Avec la collaboration de

Flavie DOUTRESSOULLES
(SVT, collège Albert Jacquard, Caen, zone sensible – label ÉCLAIR)

Sylvain ANSART
(Mathématiques, collège Gabriel Havez, Creil, zone sensible – label ÉCLAIR)

Véronique BOURGOIS
(Histoire-Géographie, collège Gabriel Havez, Creil, zone sensible – label ÉCLAIR)

Sophie DELAUNEY
(Français, collège Montgomeri, Troarn)

Un titre qui indique
clairement
le **thème de la fiche.**

Une partie de **réflexion**
et d'acquisition
de « réflexes »
pour comprendre
les mots
difficiles
ou inconnus.

Un **exercice d'observation**
simple, destiné à « entrer »
dans la fiche et à comprendre
son thème.

De courtes **leçons**
pour faire
le point sur
la construction
des mots, le sens
d'une expression,
les synonymes
disponibles,
l'origine et l'histoire
d'un terme.

Des « **clés** »
qui indiquent
la **compétence**
à mobiliser.

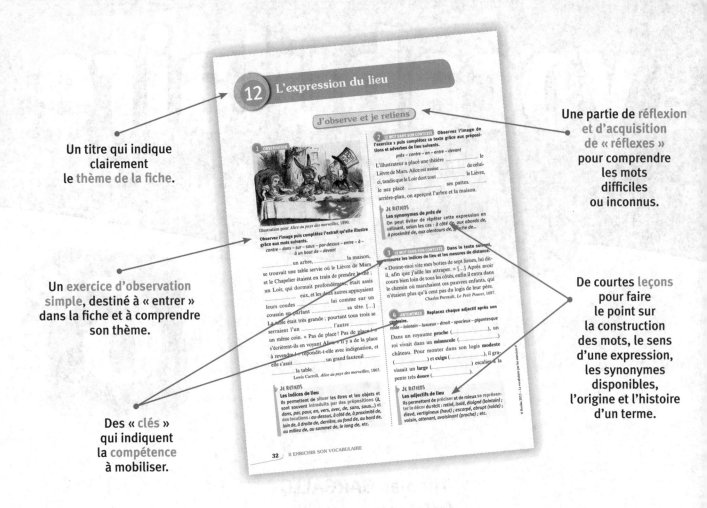

Une partie d'**application des « réflexes »,**
afin d'apprendre encore plus de mots nouveaux.

De courts **textes**
et des **images** pour mieux
comprendre les mots.

Placés à la fin, des exercices
systématiques pour **réutiliser**
et mémoriser les mots
qui viennent d'être appris.

Une partie pour **réinvestir**
le vocabulaire sous forme
d'expressions écrites
souvent amusantes.

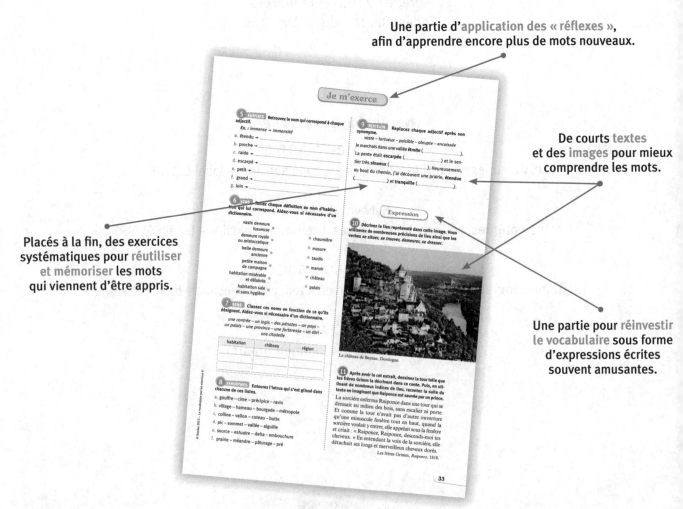

BORDAS/SEJER, Paris, 2013
© ISBN 978-2-04-733066-1

Un cahier pour développer les compétences lexicales

L'objectif de ce cahier est d'améliorer la compréhension des textes et l'expression écrite et orale grâce à une meilleure maîtrise des mots. Il respecte ainsi l'orientation des programmes du collège, rappelant que le vocabulaire doit être « l'objet d'un apprentissage régulier et approfondi, donnant lieu à des recherches systématiques et à des évaluations. »

Un ouvrage en quatre parties

– La première partie est consacrée à l'acquisition des principes fondamentaux qui organisent le lexique (racines, préfixes et suffixes, synonymes, etc.) ;
– La deuxième partie s'organise autour de situations d'expression courantes (expression du lieu, du temps, des émotions, des mouvements, etc.) ;
– La troisième partie facilite la découverte et la compréhension des textes littéraires au programme de 6ᵉ ainsi que la lecture de l'image et l'histoire des arts ;
– La quatrième partie est consacrée aux mots à découvrir ou réviser dans les autres matières et adopte une démarche interdisciplinaire.
– Des tests sont proposés pour évaluer les acquisitions des trois premières parties.

38 fiches structurées

Chaque fiche est conçue pour être le support d'une activité (leçon, révision, remédiation, etc.) :
– la partie « J'observe et je retiens » commence par un relevé simple, pour comprendre le thème de la fiche, suivi par des exercices de réflexion et d'acquisition de réflexes. Ils sont accompagnés de courtes leçons portant sur la construction ou le sens d'un mot, les synonymes disponibles, etc. ;
– la partie « Je m'exerce » consiste à appliquer les réflexes et à apprendre davantage de mots. Elle est terminée par des exercices de révision et des sujets d'expression écrite pour réinvestir et mémoriser les mots de la fiche.
– Les exercices s'appuient souvent sur des extraits d'œuvres au programme ainsi que sur des images issues du patrimoine, pour faire comprendre les mots en contexte en développant la culture littéraire et artistique de l'élève.

Des exercices fondés sur des compétences lexicales

Le cahier s'appuie le moins possible sur les connaissances préalables de l'élève. Chaque fiche est conçue pour :
– être réalisée en autonomie, en classe, en étude, au CDI ou à la maison ;
– apprendre à utiliser des mots nouveaux et faciliter leur mémorisation ;
– créer des automatismes pour comprendre un mot inconnu ;
– entraîner des compétences lexicales ciblées.
Chaque exercice sollicite et exerce une compétence lexicale précise : indiquée clairement en début de consigne, elle permettra de mieux réussir l'exercice.

Un site compagnon sur Internet

Le site www.bordas-cahiervocabulaire.fr comprend :
– des fiches et des exercices complémentaires pour aller plus loin ;
– des index sous forme de banques de mots à mémoriser ou à utiliser en rédaction.

Bon voyage au pays des mots !

Sommaire

Cet ouvrage applique les rectifications orthographiques proposées en 1990 par le rapport du Conseil Supérieur de la Langue Française, et approuvées par l'Académie Française.

MAIRE   MÈRE

PARTIE III • COMPRENDRE LES ŒUVRES AU PROGRAMME

PARTIE IV • COMPRENDRE LES AUTRES MATIÈRES

Plus de ressources sur www.bordas-cahiervocabulaire.fr

Comprendre
l'organisation du lexique

J'observe et je retiens

1 **OBSERVATION** Lisez la définition suivante, puis indiquez le sens illustré par chaque phrase.

> **COLOSSE** [kɔlɔs] n. m. **1.** Statue d'une grandeur extraordinaire. *Le colosse de Rhodes.* **2.** Homme, animal de haute et forte stature, d'une grande force apparente. → **géant, hercule. 3.** Personne ou institution considérable, très puissante. contr. **Nain**
> ÉTYM. latin *colossus*, du grec.
>
> *Le Robert Collège*, 2008.

a. Olivier est un vrai colosse : *sens n°* .....

b. C'est un colosse du monde des affaires : *sens n°* ....

c. Ce colosse est en marbre blanc : *sens n°* .....

▶ JE RETIENS
Les mots polysémiques
Ce sont des mots qui ont **plusieurs sens** (*poly* = « plusieurs » en grec). Dans le dictionnaire, tous les sens sont indiqués par un numéro.

2 Remplacez le mot *figure* par un synonyme.

a. Cette **figure** (...........................) géométrique a trois côtés égaux.

b. Justine a la **figure** (...........................,) sale.

c. César est une **figure** (...........................) de l'Antiquité.

d. Ce livre est orné de **figures** (...........................).

▶ JE RETIENS
Le sens selon le contexte
Le **contexte** est **ce qui « entoure » le mot** : il permet d'en comprendre le sens. Ainsi, « *faire une addition* » en mathématiques est très différent de « *demander l'addition* » au restaurant !

3 Remplacez, dans chaque phrase, le verbe *faire* par un autre verbe plus précis.

a. Le malfaiteur a **fait** (...................) un mauvais coup.

b. Elle a **fait** (...................) ce cadre toute seule.

c. Il ne **fait** (.............) jamais la vaisselle.

d. Cet acteur a **fait** (.......................) beaucoup de films.

e. Ces chaussures **font** (.................) trente euros.

f. J'ai **fait** (.................) deux tours de stade.

▶ JE RETIENS
Les verbes passepartouts
Certains verbes sont remplaçables par des **synonymes plus précis** : *faire* mais aussi *mettre* (*enfiler, introduire, ranger, poser*, etc.) ou *avoir* (*éprouver, comporter, posséder, obtenir*, etc.).

4 Retrouvez les expressions illustrées par ces deux images.

1. ....   2. ....

....

▶ JE RETIENS
Sens propre et sens figuré
Un mot peut avoir un **sens propre**, le plus **courant** et le plus **concret** (ex. : *Le bucheron fend du bois.* → *coupe*) et un **sens figuré**, plus **imagé** (ex. : *Tu me fends le cœur.* → *Tu me fais de la peine.*).

5 Reclassez les numéros dans chaque liste en fonction du sens de l'adjectif.
1. une addition salée – **2.** un accueil glacial – **3.** une pierre lourde – **4.** une pensée profonde – **5.** un homme délicieux – **6.** un plat très salé – **7.** une lourde peine de prison – **8.** un vent glacial – **9.** un trou profond – **10.** un dessert délicieux

a. Sens propre : ...... – ...... – ..... – ..... – ....

b. Sens figuré : ...... – ...... – ..... – ..... – ....

▶ JE RETIENS
L'origine du sens figuré
Le sens figuré provient souvent d'une **comparaison**. Une *vipère* (personne médisante) prononce des paroles blessantes comme le poison d'une véritable vipère.

6 Trouvez deux expressions qui illustrent deux sens différents de chaque mot.

*Ex. : cour : la **cour** de récréation*
*et la **cour** du roi*

a. **langue :** ....
et ....

b. **volume :** ....
et ....

c. **accent :** ....
et ....

d. **sommet :** ....
et ....

e. **échelle :** ....
et ....

f. **étoile :** ....
et ....

7 Cochez la case qui correspond au sens dans lequel est employé chaque mot en gras.

	sens propre	sens figuré
une boisson **fraiche**		
la bombe **explose**		
le facteur **marche**		
un étang **profond**		
la télévision **marche**		
une nouvelle **fraiche**		
un **profond** chagrin		
la **chute** d'une branche		
la **chute** des prix		
le conflit **explose**		

8 Entourez le mot au sens figuré qui convient pour chaque phrase.

a. La corruption des élus (*enjolive – pourrit – endolorit*) le système politique.

b. À chaque marée, l'océan (*grignote – dévore – recouvre*) peu à peu les terres.

c. Les prix (*augmentent – rougeoient – flambent*).

d. Observateur sans pitié, il a un humour très (*mordant – amusant – tourbillonnant*).

e. À force d'acheter sur des coups de tête, elle a (*dépensé – mangé – rejeté*) toutes ses économies.

f. Le but a (*incendié – enflammé – réjoui*) tout le stade.

9 Ces expressions utilisent le sens figuré. Reliez chacune d'elle à ce qu'elle veut dire.

Ex. : ne pas avoir froid aux yeux
→ ne rien craindre.

mettre les pieds dans le plat •   • avoir de gros soucis et ne pas savoir comment s'en tirer

se mettre en quatre •   • aborder un sujet qui peut fâcher

s'arracher les cheveux •   • se donner beaucoup de mal pour quelqu'un

en avoir par-dessus la tête •   • s'attaquer à une situation difficile

prendre le taureau par les cornes •   • être paresseux

avoir un poil dans la main •   • en avoir assez

10 RÉVISION Faites une phrase avec chacun des mots suivants en utilisant le sens demandé.

a. creuser (*sens propre*) : ....
....

b. se tuer (*sens figuré*) : ....
....

c. enflammer (*sens figuré*) : ....
....

d. un renard (*sens figuré*) : ....
....

e. s'éteindre (*sens propre*) : ....
....

f. fleurir (*sens figuré*) : ....
....

g. frais (*sens propre*) : ....
....

Expression

11 Choisissez deux des expressions suivantes, puis illustrez-les comme dans l'exercice 4.

avoir la tête ailleurs – être le bras droit de quelqu'un – pleuvoir des cordes – demander la lune – tendre l'oreille

12 Cherchez les sens des mots suivants, puis inventez une phrase qui joue sur le sens propre et le sens figuré de chacun d'eux.

cochon – fleur – violon – blé – fraise
*Ex. : La **morsure** du froid était telle qu'il n'a pas senti la **morsure** du chien.*

2 L'origine des mots

1 **OBSERVATION** Lisez ce texte puis complétez les pointillés ci-dessous avec les mots en italique.

Les Romains, du temps où ils dominaient l'Égypte, l'appelaient *mala praecox*, « la pomme précoce » (qui arrive vite). Les Arabes s'emparèrent de ce terme latin qu'ils prononcèrent à peu près *al-pricocs* puis *al barkuk*. Au Moyen Âge, en Espagne, alors occupée en partie par les Arabes, le mot devint *alba-ricoque*. Il passa alors en français et devint *abricot*.

origine : .... (en latin)

➜ .... puis .... (en arabe)

➜ .... (en espagnol)

➜ .... en français)

JE RETIENS

Le « voyage » des mots

Les mots passent d'une langue à l'autre et se transforment au gré de l'Histoire et des contacts entre les peuples. Ainsi, le mot *tatouage* provient du mot anglais *tattoo*, qui vient lui-même du polynésien *ta-tau*. Cette étude de l'origine des mots s'appelle l'étymologie.

2 Retrouvez l'orthographe moderne de ces mots écrits ou prononcés ainsi à l'époque médiévale.

Ex. : tens ➜ *temps* ; teste ➜ *tête*

français médiéval	français moderne
uile	....
serpant	....
sofrir	....
ostel	....
mesme	....
chastel	....
baston	....

JE RETIENS

L'évolution des mots

Au fil du temps, les mots se transforment à cause de changements de prononciation ou au contact d'autres langues. Les mots ci-dessus étaient écrits ainsi au Moyen Âge, à l'époque où on parlait encore l'ancien français.

3 Reliez chaque mot latin au mot qu'il a donné en français moderne.

pater ●   ● aile
potionem ●   ● poison
auscultare ●   ● cheval
caballum ●   ● chambre
camera ●   ● père
ala ●   ● écouter

JE RETIENS

La langue latine

Au contact des langues gauloises et germaniques, le latin, au fil du temps, s'est peu à peu transformé en français.

Plus de 80% des mots français viennent du latin, ce qui fait du français une langue romane, comme l'espagnol, l'italien, le roumain, etc.

Mais le français a aussi emprunté aux langues vivantes étrangères comme l'anglais (*match*), l'allemand (*espion*), l'italien (*banque*), l'arabe (*chiffre*), l'espagnol (*moustique*), etc.

4 Retrouvez l'adjectif à partir du mot latin en italique. Aidez-vous du sens entre parenthèses.

Ex. : *aqua* (eau) : une créature aquatique

a. *stella* (étoile) : un système ....

b. *populus* (peuple) : un roi ....

c. *pes/pedis* (pied) : un chemin ....

d. *manus* (main) : un travailleur ....

e. *pax/pacis* (paix) : un homme ....

f. *canis* (chien) : une race ....

g. *rigidus* (raide) : une armature ....

h. *strictus* (étroit) : une règle ....

i. *fragilis* (frêle) : un enfant ....

j. *oculus* (œil) : un témoin ....

JE RETIENS

Les mots savants

Les mots latins ont évolué jusqu'au français moderne en passant par l'ancien français ; ils sont alors de formation populaire (*oculus* ➜ *œil*). Au Moyen Âge et à la Renaissance, le français s'est enrichi de mots, directement empruntés au latin, que l'on dit de formation savante (*oculus* ➜ *oculaire*).

5 Retrouvez le nom de ces fruits et légumes d'après leur origine, en vous aidant si nécessaire d'un dictionnaire. Attention ! Avant d'arriver en français, certains de ces mots sont d'abord passés par l'espagnol ou le portugais.

a. *cacahuatl* en nahuatl (langue du Mexique)

→ ....

b. *mahizi* en taïno (langue des Caraïbes)

→ ....

c. *nana nana* en tupi (langue du Brésil)

→ ....

d. *tomatl* en nahuatl (langue du Mexique)

→ ....

e. *banana* en bantou (langue d'Afrique centrale)

→ ....

f. *mangaï* en tamoul (langue de l'Inde)

→ ....

g. *guayaba* en arawak (langue des Caraïbes)

→ ....

6 Reclassez les mots dans les listes suivantes. Aidez-vous d'un dictionnaire.

framboise – assassin – élixir – banque – confetti – haine – vermicelle – short – amiral – crawl – paquebot – pantalon – blé – touriste – renard – gazelle

a. mots d'origine arabe :

.... – .... – .... – ....

b. mots d'origine francique (germanique) :

.... – .... – .... – ....

c. mots d'origine italienne :

.... – .... – .... – ....

d. mots d'origine anglaise :

.... – .... – .... – ....

7 Reliez chaque nom à sa définition. Puis, complétez en vous aidant d'un dictionnaire.

branche des mathématiques qui s'occupe des nombres
mot d'origine ....

équerre ●

zéro ●

géométrie ●

algèbre ●

branche des mathématiques qui s'occupe des figures
mot d'origine ....

instrument de tracé d'angles
mot d'origine ....

nombre qui représente une valeur nulle
mot d'origine ....

8 Indiquez deux mots français issus de chacun de ces mots latins.

Ex. : fatum *(le destin) : fatal, fatalité*

a. *vocare* (appeler) : ....

....

b. *discipulus* (élève) : ....

....

c. *vigilare* (veiller) : ....

....

d. *magister* (maître) : ....

....

e. *mater* (mère) : ....

....

f. *somnus* (sommeil) : ....

....

g. *ambulare* (marcher) : ....

....

9 RÉVISION À partir de chaque verbe latin, retrouvez le verbe de formation savante.

verbes en latin	formation populaire	formation savante
liberare	livrer	libérer
auscultare	écouter	....
cumulare	combler	....
simulare	sembler	....
navigare	nager	....
masticare	mâcher	....
implicare	employer	....

Expression

10 En utilisant un dictionnaire, rédigez un court paragraphe qui raconte l'histoire d'un des mots suivants.

aubergine – artichaut – sucre – matelas

11 Voici un mot inventé par les auteurs du *Baleinié, dictionnaire des tracas* (© éditions du Seuil) :

Pani-pané (pa-ni-pa-né) *n. m.* : insomnie rythmée par : « *J'rallume la lumière ou j'laisse faire le moustique ?* »

Sur le même modèle, inventez une définition de dictionnaire pour l'un des mots suivants.

hembernoët – chacard – valvarope

3 Les racines latines

J'observe et je retiens

1 **OBSERVATION** Lisez cet extrait en latin suivi de sa traduction en français. Complétez ensuite chaque ligne.

Liber primus

In nova fert animus mutatas dicere formas corpora.

Ovide, *Métamorphoses*.

Livre premier

J'entreprends de chanter les métamorphoses qui ont donné aux corps des formes nouvelles.

a. *liber* → ....

b. *primus* → ....

c. *forma* → ....

d. *corpora* → ....

▷ **JE RETIENS**

Le français, une langue romane

Comme l'espagnol, l'italien, le portugais ou le roumain, le français vient en majorité du latin. C'est au contact des langues gauloises et germaniques que le latin s'est peu à peu transformé en français.

2 Entourez le radical commun aux mots de chaque liste. Cherchez ensuite le sens de ce mot latin. Aidez-vous si nécessaire d'un dictionnaire.

Ex. : aquatique, aquarium, aquarelle : eau

a. floriculture – florissant – floraison : ....

b. pédiluve – pédestre – pédaler : ....

c. voracité – dévorer – carnivore : ....

d. illumination – lumineux – rallumer : ....

▷ **JE RETIENS**

Quelques radicaux latins

racine	sens	exemple
aqua	eau	**aqua**tique
cide	qui tue	homi**cide**
cult/cole	qui cultive	agri**cole**
duc(t)	qui amène	con**duct**eur
fère	qui porte	somni**fère**
fique	qui produit	béné**fique**
fuge	qui fait fuir	centri**fuge**
homo/huma	homme	**huma**nité
luc/lum	lumière	**lum**inosité
ped(e)	pied	**péd**estre
vore	qui mange	herbi**vore**

3 Indiquez le mot français directement issu de chaque racine latine.

racine latine	mot « populaire »	mot « savant »
musculum	moule	muscle
parabolam	parole	....
captivum	chétif	....
nativus	naïf	....
articulum	orteil	....
rationem	raison	....

▷ **JE RETIENS**

Les mots savants

Un seul et même mot latin peut donner deux mots français. Ces mots sont appelés des doublets :
– un mot de formation populaire, qui vient de la transformation du latin en français (*sacramentum* → serment)
– un mot de formation savante, plus tardif, emprunté directement du latin, avec un radical plus reconnaissable (*sacramentum* → sacrement)

4 Complétez les phrases suivantes grâce à un mot courant emprunté au latin. Son sens d'origine est donné entre parenthèses.

a. Cindy oublie toujours de marquer les devoirs sur son ....(« les choses qui doivent être faites »).

b. Ma mère s'est inscrite sur un .... de discussions sur Internet (« place publique »).

c. Ce week-end, nous imprimons et classons les photos dans l' .... (« blanc »).

d. Nawel est encore trop petite pour se laver les mains dans le .... (« je me laverai »).

▷ **JE RETIENS**

Les emprunts au latin

Certains mots sont directement empruntés au latin : ils gardent donc leur forme latine. Ils sont reconnaissables à leurs terminaisons : *-um* (*album, ultimatum, maximum*), *-o* (*lavabo, recto-verso, illico*), *-us* (*infarctus, prospectus*) et *-a* (*agenda, et cetera, visa*). Ils n'avaient pas forcément le même sens en latin.

5 Dans chaque liste, entourez l'intrus qui n'est pas un mot emprunté directement au latin.

a. alinéa – et cetera (etc.) – pyjama – duplicata

b. opéra – barbe à papa – agenda – desiderata

c. critérium – rhum – aquarium – album

d. ultimatum – chewing-gum – maximum – post-scriptum

e. alibi – colibri – a priori – a posteriori

f. recto-verso – illico – vidéo – rigolo

6 Reliez ces racines pour former le plus grand nombre de mots possible. Les racines peuvent être utilisées plusieurs fois.

matri (mère) ●

omni (tout) ●

      ● -cide

paci (paix) ●

      ● -fuge

      ● -vore

pisci (poisson) ●

      ● -fique

insecti (insecte) ●

      ● -cole

vermi (ver) ●

7 Cherchez deux mots français issus des mots latins en italique. Aidez-vous des sens donnés entre parenthèses.

Ex. : civitas (la cité)
→ *civil, civilisation*

a. *mortem* (la mort)

→ .... – ....

b. *oculus* (l'œil)

→ .... – ....

c. *ambulare* (marcher)

→ .... – ....

d. *discipulus* (l'élève)

→ .... – ....

e. *equus* (le cheval)

→ .... – ....

f. *navis* (le bateau)

→ .... – ....

g. *ordinare* (classer)

→ .... – ....

h. *avis* (l'oiseau)

→ .... – ....

i. *rectis* (droit)

→ .... – ....

8 Entourez l'intrus qui s'est glissé dans chaque liste. Chaque intrus est issu d'une racine différente.

a. *sol* (le soleil) : soldat – tournesol – parasol

b. *mar* (la mer) : marin – marée – martinet – marinade

c. *ager/agris* (le champ) : agricole – agriculteur – agréable – agraire

d. *caput/capitis* (la tête) : capitale – décapiter – capitaine – capture

e. *liber/libri* (le livre) : libraire – libelle – libre – livre

f. *aqua* (l'eau) : aquarelle – aqueduc – acquis

9 Complétez le tableau à l'aide du nom de formation savante issu de chaque racine latine. Aidez-vous de l'exemple donné.

racine latine	formation populaire	formation savante
veracus	vrai	véracité
surdus	sourd	....
rigidus	raide	....
culpabilis	coupable	....
securus	sûr	....

10 REVISION Complétez la première colonne du tableau en cherchant dans un dictionnaire l'origine de chaque mot. Puis replacez les mots de la liste ci-dessous : ce sont les doublets savants. Aidez-vous de la racine trouvée dans le dictionnaire.

potion – fabrique – hôpital – ministère

racine latine	formation populaire	formation savante
articulus	orteil	article
....	hôtel	....
....	poison	....
....	métier	....
....	forge	

11 Créez des néologismes, c'est-à-dire des mots nouveaux, en utilisant les racines latines suivantes.

-cide – -fuge – -vore – -fique – -cole

Ex. : « chocolativore », « éléphantifuge »

12 Inventez des phrases dans lesquelles vous emploierez un maximum de mots latins utilisés en français (*alias, alibi, spécimen, infarctus, examen, ultimatum,* etc.).

4 Les racines grecques

 4 **Les racines grecques**

J'observe et je retiens

1 OBSERVATION **Reliez ces racines afin de reformer des mots français.**

biblio- ●   ● logie
psycho- ●   ● graphe
géo- ●   ● phoniste
ortho- ●   ● thèque

▸ JE RETIENS

Quelques radicaux grecs

Les radicaux grecs sont les bases de construction de nombreux mots français.

racine	sens	exemple
anthropo-	homme	anthropologue
mono-	un seul	monotone
auto-	soi-même	automate
ortho-	droit	orthographe
poly-	plusieurs	polygone
bio-	vie, nature	biologie
psych-	esprit	psychopathe
scop-	regarder	microscope
graph-	écrire, tracer	graphiste
télé-	loin	télévision
hydro-	eau	hydrogène
therm-	chaleur	thermomètre
log-	science, parole	logique
thérap-	soin, traitement	kinésithérapie

2 **Complétez les termes suivants par les racines *-phile* ou *-phobe*.**

a. qui a peur des araignées : arachno ....

b. qui aime les livres : biblio..

c. qui a peur des étrangers : xéno...................................

d. qui craint l'enfermement : claustro ....

e. qui aime l'Angleterre : anglo ....

f. qui aime le cinéma : ciné ....

▸ JE RETIENS

-phile* et *-phobe

-phile signifie **qui aime** et *-phobe* **qui déteste**, qui a peur de. On retrouve cette racine dans le mot *phobie* (peur ou répulsion pour un élément précis) et dans le nom du dieu grec de la peur **Phobos**, fils d'Arès.

3 **Reconstituez le mot qui correspond à chaque définition à l'aide des racines suivantes. Tous les mots seront formés sur le radical grec *-onyme* (le nom).**

par-, ant-, hom-, pat-, an-, syn-, pseud-

a. dont on ignore le nom : ....onyme

b. nom de famille : ....onyme

c. faux nom : ....onyme

d. qui a un sens équivalent : ....onyme

e. qui exprime le contraire : ....onyme

f. qui s'entend pareil : ....onyme

g. qui ressemble à un autre mot : ....onyme

▸ JE RETIENS

Pourquoi le grec ?

Au **Moyen Âge** et à la **Renaissance**, on a créé de nombreux mots savants sur des radicaux grecs, car on traduisait beaucoup d'auteurs antiques alors que les **sciences** se développaient. De plus, le grec ancien était une **langue très prestigieuse** ! Aujourd'hui encore, les radicaux grecs servent à construire de nombreux **mots nouveaux**, notamment dans le **domaine scientifique**.

4 **Reconstituez le mot qui correspond à chaque définition à l'aide des racines suivantes. Tous les mots sont formés sur le radical grec *-mane* (*manie* : folie, obsession).**

mél(o) : chant – *pyr(o)* : feu – *myth(o)* : histoire – *toxic(o)* : poison – *mégal(o)* : grand

a. Il invente des histoires : ....mane

b. Il use de produits dangereux : ....mane

c. Il met le feu partout : ....mane

d. Il a la folie des grandeurs : ....mane

e. Il est passionné de musique : ....mane

▸ JE RETIENS

***-o* et les « lettres grecques »**

Quand on compose un mot à partir de racines grecques, on doit souvent ajouter la **lettre *-o-*** après la racine. Ainsi, pour former *pyromane*, on l'ajoute au mot grec *pyr*. Son origine grecque est reconnaissable grâce au *-y*, tout comme les mots qui comportent les groupes *-th-* ou *-ph-* (théâtre, philosophe).

5 Complétez les mots suivants, formés avec la racine *-thèque* (*l'armoire, la boîte,* en grec).

a. meuble où l'on range des **livres** : ....thèque

b. lieu où l'on trouve des **jeux** : ....thèque

c. lieu où l'on danse sur des **disques** : ....thèque

d. lieu où l'on range des **vidéos** : ....thèque

6 Reliez chaque mot à sa définition. Aidez-vous des racines et des mots en gras. Aidez-vous du tableau p. 14.

qui a **peur** des araignées •

boisson faite d'**eau** et de miel •

qui fonctionne **tout seul** •   • **therm**ostat

traitement par les bains de mer •   • **ortho**gonal

           • thalasso**thérapie**

qui permet une **chaleur** constante •   • **mono**chrome

           • **poly**théisme

qui est d'**une seule** couleur •   • **hydro**mel

qui forme un angle **droit** •   • arachno**phobe**

           • **auto**matique

croyance en **plusieurs** dieux •

7 Retrouvez le mot qui correspond à chaque définition suivante. Aidez-vous du mot en gras et du tableau des racines p. 14.

a. un instrument qui permet de **regarder** au **loin**

→ ....

b. la **science** qui étudie les comportements **humains**

→ ....

c. un spécialiste qui **étudie l'esprit** humain

→ ....

d. une personne qui **aime** et collectionne les **livres**

→ ....

e. un spécialiste qui **étudie l'eau**

→ ....

f. un auteur qui **écrit** sur **plusieurs** sujets

→ ....

g. un **discours** prononcé par **une seule** personne

→ ....

h. le **traitement** des problèmes de l'**esprit**

→ ....

8 Dans le tableau des racines, cherchez les éléments qui composent chacun des mots suivants, puis donnez-en la définition.

a. anthropophage : ....
....
....

b. autobiographie : ....
....
....

c. télégraphe : ....
....

d. phytothérapie : ....
....
....

e. graphologie : ....
....
....

9 **RÉVISION** Formez cinq mots en unissant, à chaque fois, deux des racines de la liste. N'oubliez pas d'ajouter les lettres manquantes !

Ex. : chron- + log- → chronologie

phag- (manger) – *log-* (science) – *chron-* (temps) – *nécr-* (mort) – *géo-* (terre) – *graph-* (écrire) – *phyto-* (végétal) – *thérap-* (soin, traitement)

....
....
....
....
....

Expression

10 Imaginez trois inventions du futur : la première mesure et observe la chaleur ; la seconde soigne par les livres ; la troisième étudie l'esprit des plantes. Donnez le nom de chacune d'elles en le formant grâce aux racines grecques, puis expliquez leur fonctionnement.

11 Inventez une créature fantastique dont le nom se termine par la racine *-phile* ou *-phage*, par exemple un monstre *pyrophage*. Expliquez son nom et présentez-le sous forme d'une courte fiche signalétique (nom, habitat, nourriture, etc.).

5 Les radicaux et les familles

1 OBSERVATION Dans les termes suivants, quel mot reconnaissez-vous ? Entourez-le, comme dans l'exemple proposé.

*Ex. : **glac**iaire → glace*

alimentation – préhistoire – réchauffement – climatique – paresseux – engloutissement – barrage – adoucir

▷ **JE RETIENS**

Les radicaux et la formation des mots
On forme les mots en utilisant un **radical** (**racine**), auquel on ajoute des **préfixes** et des **suffixes** : *repasser, dépasser, surpasser, passer, passe, passable, passation* (même radical *-pass-*). Les mots qui ont le **même radical** et la **même origine** sont de la **même famille**.

2 Entourez le mot intrus qui s'est glissé dans chaque liste.

a. glaçon – glacial – glace – givre

b. camp – camper – compagnon – camping

c. anneau – animal – animalier – animalerie

d. maternité – matelot – materner – maternelle

e. gratuit – gratter – grattage – grattoir

3 Observez bien le tableau, puis complétez-le à l'aide de mots de la même famille.

Ex. : jardin → jardiner → jardinier

lieu ou nom	....	réparation	....
activité / verbe	....	....	élever
métier	cuisinier	....	....

4 Classez les mots dans le tableau en fonction de leur radical.

inflammation – aquarelle – terrasse – aérien – terrestre – aquatique – aéronautique – flamber – déterrer – enflammer – aération – aqueux

air	terre	eau	flamme
....	....	....	....
....	....	....	....
....	....	....	....

▷ **JE RETIENS**

Les modifications du radical
Un radical peut être légèrement **écourté** : *terre/terrasse ; aquatique/aqueux ; douce/adoucir*. Il peut être également **modifié** : *air/aérien ; vêtu/vestimentaire, aimable/amabilité, histoire/historique*.

5 Indiquez deux mots de la même famille après chaque terme proposé. Aidez-vous des racines en gras.

a. **spect**acle : .... – ....

b. **plac**er : .... – ....

c. **mar**ine : .... – ....

d. **class**e : .... – ....

e. **vêt**ement : .... – ....

6 Retrouvez le nom qui correspond à chaque adjectif. Attention, chaque radical sera légèrement transformé.

a. hospitalier → ....

b. forestier → ....

c. festif → ....

d. bestial → ....

▷ **JE RETIENS**

L'accent circonflexe
Dans certains cas, cet accent est la « trace » d'un *s disparu* dans la prononciation puis dans l'orthographe. On le retrouve en **anglais**, dans des mots français passés à une époque où on prononçait encore le *s* en France (*forest, beast, hospital, coast*).

forest / forêt

Je m'exerce

7 Entourez l'intrus dans chaque famille de mots.

a. désastreux – affres – affreux – affreusement

b. décrier – crier – crime – criard – crieur – cri – criant

c. terreur – terroriste – horreur – terrifier – terrible

d. nerveusement – nerf – énerver – nerveux – anxieux

e. pluriel – pluralité – pluvieux – pluralisme

8 Entourez le radical de chacun de ces mots.

impardonnable – abêtir – dénombrement – empaqueté –
désintérêt – surveillance – surclassement – préhistorique
– inaltérable – antibiotique – inaccessible – inflammable

9 Reclassez chaque mot dans la famille qui convient.
*enflammer – flanc – flatterie – flambée –
efflanqué – flatteur*

a. .... – ....

b. .... – ....

c. .... – ....

10 Complétez ces phrases avec un mot de la même famille que le mot entre parenthèses.

Ex.: *livre*
Plus tard, j'aimerais exercer la profession de **libraire**.

a. Cette vendeuse est vraiment (*aimer*) ....

b. La maison est beaucoup trop petite : il faudrait vraiment l' (*grand*) ....

c. Pour bien dormir, je ne bois que du (*café*) ....

d. Après le départ des 6es, la documentaliste doit (*classe*) .... ses livres.

e. Il faudrait passer chez le (*fleur*) ....
pour prendre un bouquet.

11 Pour chacun de ces mots, trouvez au moins deux mots de la même famille.

a. froid : ....

b. effroi : ....

c. peur : ....

d. glace : ....

e. éclat : ....

f. rouge : ....

g. appel : ....

h. mémoire : ....

12 RÉVISION Formez le plus grand nombre de mots possible en utilisant à chaque fois deux radicaux de la liste. Ajoutez les lettres manquantes.

phon – graph – bio – log – chrono – métr – géo – ortho

Ex.: phon + log → *phonologie*

....

....

....

....

....

....

....

....

....

....

13 RÉVISION Complétez le tableau avec des mots de même famille. Aidez-vous de l'exemple donné.

adjectif	nom	verbe
tranquille	tranquillité	tranquilliser
blanc	....	....
noir	....	....
fragile	....	....
faible	....	....

Expression

14 *« Ulysse n'était pas pleurnichard, mais il ne cessait de pleurer chez Calypso, à tel point que ses pleurs émurent les dieux. »*

Inventez quatre phrases de ce type, en utilisant à chaque fois trois mots de même famille. Utilisez les familles suivantes.

vol/voler – flamme – air – froid – glace – lune – cultiver

15 *« Durant la Préhistoire, les hommes ne vivaient pas forcément dans des cavernes. »*

→ *Durant l'époque préhistorique, l'espèce humaine ne vivait pas forcément dans des espaces caverneux. »*

Inventez quelques phrases de ce type : une phrase simple suivie d'une phrase presque identique, où certains mots seront remplacés par des synonymes qui comportent un mot de la même famille.

6 Les préfixes

1 OBSERVATION **Entourez les radicaux de chaque mot.**

a. transformer

b. défaire

c. concitoyen

d. transcontinental

e. recommencer

f. inhabituel

g. hypermarché

h. imparfait

> **JE RETIENS**
>
> **Le sens des préfixes**
>
> On peut former un mot nouveau en ajoutant un préfixe au radical. Les **préfixes** **précèdent** le radical.

préfixes	sens	exemples
anti-	contre	**anti**nucléaire
a-/ad-/ap-	vers	**ap**porter
sous-, sub-	au-dessous	**sub**alterne
sur-	au-dessus	**sur**vêtement
co-/com-/ con-/col-/ cor-	avec, accompagnement	**com**pagnie, **con**férence, **col**loque
ante-	avant	**ant**érieur
post-	après	**post**érieur
re-	à nouveau	**re**faire
trans-	à travers	**trans**continental

2 **Ajoutez un préfixe à chaque mot pour former son contraire. Aidez-vous de l'exemple donné.**

Ex. : composer → décomposer

a. lisible → ....

b. graisser → ....

c. buvable → ....

d. stable → ....

e. symétrique → ....

f. faisable → ....

g. agréable → ....

> **JE RETIENS**
>
> **Les préfixes privatifs**
>
> *Privatif* signifie « **négatif** ». Ces préfixes permettent de **former des mots contraires** : *a-, in-/im-/il-/ir-, mal-/mau-/més-, dé-, dis-* (*a*normal, *im*possible, *mal*honnête, *dis*paraitre).

3 **Entourez les mots qui comportent un préfixe.**

inodore – imagination – îlot – illégal – innombrable – immobile – irrégulier – inaction – illusion – irlandais

> **JE RETIENS**
>
> **Le préfixe *in-***
>
> Il prend **plusieurs formes** : *il-* devant un *-l* (*légal/illégal*), *ir-* devant un *-r* (*réel/irréel*), *im-* devant *-m, -b, -p* (*patient/impatient*). On **double la consonne** quand elle est déjà présente (*ir + réel, im + mangeable, il + logique*).

4 **Ajoutez le préfixe *ex-* ou *é-* aux mots en gras pour retrouver le mot qui correspond à chaque définition.**

a. **porter** un objet à l'extérieur du pays

→ l' ....

b. enlever la **crème** du lait

→ l' ....

c. quitter sa **patrie** d'origine

→ s' ....

d. être hors d'haleine, sans **souffle**

→ s' ....

> **JE RETIENS**
>
> **Les préfixes *ex-* et *in-***
>
> Le préfixe *ex-* (*é-* ou *extra-*) marque ce qui est **extérieur**. Son contraire est *in-* (*externe/interne* ; *exclure/inclure* ; *exporter/importer*). Attention ! Le préfixe *in-* peut aussi signifier la **négation** (*incolore*).

5 **Entourez les mots où le préfixe *para-* indique une notion de protection ou de prévention.**

parascolaire   paranormal   parasol

paratonnerre   parachute   paramédical

> **JE RETIENS**
>
> **Le préfixe *para-***
>
> Il a deux origines, et donc deux sens : en grec, il signifie « à côté, voisin » (*paranormal*) ; en latin, il exprime l'idée de protection (*parapluie*).

6 Entourez les préfixes dans les mots suivants.

antimite – surpopulation – microfilm – incroyable – discontinu – confluent – transalpin – dénouement

7 Supprimez le préfixe des mots suivants pour trouver leur contraire.

Ex. : impatience → patience

a. inhabité   → ....

b. dégarnir   → ....

c. disjoindre   → ....

d. desserrer   → ....

e. désobéir   → ....

f. indirect   → ....

g. illimité   → ....

8 Retrouvez le verbe qui correspond à chaque définition en utilisant les verbes *porter* et *paraitre* et les préfixes suivants.

dis-, trans-, sup-, ap-, re-

Ex. : se présenter devant un tribunal
→ comparaitre.

a. amener d'un endroit à un autre → ....

b. accepter avec patience → ....

c. remettre à un autre moment → ....

d. amener quelque chose → ....

e. se rendre visible → ....

f. être à nouveau visible → ....

g. ne plus être visible → ....

9 RÉVISION Barrez la mauvaise orthographe de chaque mot. Pour cela, aidez-vous en repérant le radical et la présence (ou non) d'un préfixe.

a. imoral – immoral

b. immangeable – imangeable

c. ilisible – illisible

d. innespéré – inespéré

e. imobile – immobile

f. iréparable – irréparable

g. illégal – ilégal

h. inespéré – innespéré

i. irréfléchi – iréfléchi

k. immaginatif – imaginatif

10 RÉVISION Ajoutez un préfixe au mot indiqué en gras pour former le mot attendu.

Ex. : L'ouvrier a percé le mur de part en part :
il l'a transpercé.

a. Le **four** est chaud, tu vas pouvoir mettre le gâteau dans le four : tu vas pouvoir l'..................ner.

b. Mon père se blesse à chaque fois qu'il bricole. Il n'est pas très **adroit** : il est ....

c. Il pleut ! Prends cet objet qui te protège de la **pluie** ! Prends ce ....

d. Pour faire du feu, l'homme de Néandertal **choquait** l'un contre l'autre deux silex. Il les ....ait.

e. Dans ce roman de science-fiction, les personnages font des voyages d'une **planète** à l'autre : se sont des voyages ....aires.

f. Ce chien n'a pas eu son traitement contre les **parasites** : son traitement ....aire.

g. Après l'incendie, on a replanté des arbres dans les **bois** de cette montagne : on l'a ....ée.

h. Après une promenade sur le lac, Louis est descendu de sa **barque** sur l'île : Louis a ....é.

Expression

11 Lisez cette phrase (qui n'a pas vraiment de sens) puis trouvez le contraire de chaque mot en gras, en jouant sur le préfixe. Inventez deux autres phrases (et leurs contraires) sur le même type.

*« Cet homme bien **connu** a **embarqué** sur ce navire **insubmersible**. Il avait **efficacement noué** sa cravate. »*

12 Lisez cet extrait de poème.

[...] Viens ici que je t'enpapouète
  et que je t'enrime
  et que je t'enrythme
  et que je t'enlyre
  et que je t'enpégase
  et que je t'enverse
  et que je t'enprose [...]

Raymond Queneau,
L'Instant fatal,
© éditions Gallimard,
1966.

Imitez le poète en créant, comme lui, des mots nouveaux à partir d'un des préfixes suivants.

re-, en-, sur-, trans-

13 *« Pierre qui roule n' amasse pas mousse/Pierre qui déroule ne ramasse pas mousse. »*

Comme dans cet exemple, transformez, à l'aide de préfixes, trois proverbes connus. N'hésitez pas à créer des mots nouveaux.

7 Les suffixes

1 OBSERVATION Reliez chaque racine de la colonne de gauche à deux éléments de celle de droite.

solid- ●   ● -eté
                            ● -ation
plant- ●   ● -ir
                            ● -ement
honnêt- ●   ● -ité
                            ● -er
fin- ●   ● -ition

2 Transformez chaque adjectif en nom commun. Pour cela, ajoutez les éléments suivants.

-ance, -esse, -at, -ité, -ure, -té

a. fragile → fragil..
b. tendre → tendr..
c. anonyme → anonym...
d. droit → droit..
e. clair → clar...
f. propre → propre...
g. indépendant → indépend.................................

▶ **JE RETIENS**

Les suffixes

Placés après le radical, les suffixes changent la **classe grammaticale** : *noir* (adjectif) → *noircir* (verbe) → *noircissement* (nom) ou apportent une **nuance** de sens. Le mot est alors formé par **dérivation**.

	suffixes	sens	exemples
suffixes de noms	*-age, -ade, -tion, -ment*	action, résultat	pilot**age**, noy**ade**, ac**tion**
	-eau, -elle, -ette, -on, -ot	diminutif	lionc**eau**, tabl**ette**, frér**ot**
	-té, -at, -ance, -esse, -ure	qualité, fonction	propre**té**, petit**esse**, attent**at**
suffixes d'adjectifs	*-al, -aire, -el, -eur, -ique*	qui a rapport à	région**al**, glaci**aire**, ment**eur**
	-able, -ible, -uble	qui peut	respect**able**, lis**ible**
suffixes de verbes	*-ir*	changement	faibl**ir**, noir**cir**
	-iser, -ifier	action	électr**iser**, intens**ifier**

3 Transformez chaque adjectif de couleur en suivant le modèle ci-dessous.

adjectif	verbe	action	autre adjectif
noir	*noircir*	*noircissement*	*noirâtre*
jaune	....	....	....
rouge	....	....	....
blanc	....	....	....

▶ **JE RETIENS**

Les modifications du radical

Elles interviennent parfois **quand on ajoute le suffixe** et que l'on change la classe grammaticale du mot. Ce sont souvent des changements à la **fin du radical** (*vert → verdir*).

4 Ajoutez le suffixe qui convient pour rendre chaque mot plus négatif ou plus fort.

-âtre, -ard, -aille, -aud

a. traîner → traîn..
b. chauffeur → chauff...
c. faible → faibl..
d. lourd → lourd..
e. fer → ferr..
f. gris → gris...
g. blanc → blanch..

▶ **JE RETIENS**

Les suffixes péjoratifs

Ils donnent aux mots une nuance négative. Ce sont entre autres : *-aud* (*finaud*), *-âtre* (*verdâtre, marâtre*), *-ard* (*vantard*), *-aille* (*mangeaille*), *-asse* (*paperasse*). Pour les verbes, on utilise *-ailler* (*rimailler*) ou *-asser* (*traînasser*).

Je m'exerce

5 Complétez chaque tableau sur le modèle du couple de mots déjà donné. Utilisez pour cela les mêmes préfixes et suffixes.

déchets	déchett**erie**	suffisant	insuffisance
bagages	bagag**erie**	dépendant	....

félin	félidés	terre	atterrissage
canin	....	lune	....

roses	roseraie	souple	assouplir
oranges	....	tendre	....

frisé	défrisage	griffer	griffure
lavé	....	érafler	....

6 Transformez chaque verbe en nom commun en modifiant le suffixe.

a. polluer → ....

b. augmenter → ....

c. déranger → ....

d. rincer → ....

e. amuser → ....

f. embellir → ....

g. noyer → ....

h. terminer → ....

i. agiter → ....

7 Transformez chaque nom en adjectif en ajoutant un suffixe. Attention ! Le radical sera parfois modifié.

a. corne → ....

b. orgueil → ....

c. période → ....

d. microscope → ....

e. histoire → ....

f. printemps → ....

g. été → ....

h. automne → ....

i. hiver → ....

j. temps → ....

8 Ajoutez à chaque nom d'arbre un des suffixes indiqués, pour retrouver son lieu de plantation. Attention ! Le radical pourra être légèrement modifié. Aidez-vous si nécessaire d'un dictionnaire.

-ède, -ière, -aie, -eraie

Ex. : rose → roseraie

a. pin → ....

b. sapin → ....

c. chêne → ....

d. hêtre → ....

e. palmier → ....

f. bambou → ....

g. olivier → ....

9 Ajoutez le suffixe péjoratif qui convient à chaque mot. Attention ! Le radical pourra être légèrement modifié.

-aille, -âtre, -asse

a. cochon → ....

b. mère → ....

c. blond → ....

d. brun → ....

e. fade → ....

f. papier → ....

g. bleu → ....

10 RÉVISION Dans chaque liste, entourez l'intrus qui ne comporte pas de suffixe péjoratif.

a. léopard – binoclard – geignard

b. charognard – traînard – homard

c. nigaud – cabillaud – lourdaud

d. courtaud – saligaud – réchaud

e. vieillot – paquebot – jeunot

Expression

11 « *Boulangerie, boucherie, sandwicherie* » : en utilisant le même suffixe, inventez le nom de magasins qui vendront des robots, des hélicoptères ou des rhinocéros ainsi que quatre autres marchandises de votre choix.

12 Décrivez un lieu, une expérience ou une personne en quelques phrases qui comporteront au moins quatre mots à suffixe péjoratif.

8 Synonymes et antonymes

1 **OBSERVATION** Lisez cette définition de dictionnaire puis répondez aux questions.

> 1 **FLÉTRIR** [fletʀiʀ] v. tr. (conjug. 2) **1.** Faire perdre sa forme, son port et ses couleurs à (une plante), en privant d'eau. → **faner, sécher.** *Le soleil a flétri les hortensias.* **2.** LITTÉR. Dépouiller de son éclat, de sa fraîcheur ; fig. de sa joie. → **altérer, ternir.** *L'âge a flétri son visage.* → **rider.** ◆ au p. passé *Peau flétrie.* **3.** SE FLÉTRIR v. pron. *Plante qui se flétrit.* ◆ *Sa beauté s'est flétrie.*
> ÉTYM. de l'ancien français *flestre* « flasque », du latin *flaccus* → flaque.

Le Robert Collège, 2008.

a. Combien de sens le nom « flétrir » a-t-il ? ......

b. Indiquez le numéro du sens utilisé dans chacune de ces phrases :

– « Ses traits sont flétris avant l'âge » : sens n° ....

– « Les fleurs sont flétries par le vent » : sens n° ......

c. Par quels mots peut-on remplacer le mot « flétri » :

– dans le premier sens ? ....

– dans le second sens ? ....

> **JE RETIENS**
>
> **Le dictionnaire**
>
> Il indique souvent en **gras** ou en *italique*, des **mots de sens identique ou proche** qui permettent de mieux comprendre une définition. Mais attention aux mots qui ont plusieurs sens !

2 Reliez les mots pour former des couples de mots de même sens.

copine ●   ● professeur
pomme de terre ●   ● responsable
enseignant ●   ● amie
calme ●   ● patate
chef ●   ● se nourrir
manger ●   ● apaisé

> **JE RETIENS**
>
> **Les synonymes**
>
> Quand ils ont le **même sens** ou un sens très proche et qu'ils appartiennent à la **même classe grammaticale**, deux mots sont **synonymes** : *éclairer/illuminer* (verbes) ; *lumière/clarté* (noms).

3 Remplacez chaque mot souligné par un synonyme.

a. Matthias a fait (..........................) une grosse faute (..........................).

b. Nathalie apprend à faire (..........................) sa maison (..........................) toute seule.

c. Léa a fait (..........................) un énorme (..........................) gâteau.

d. Le chien a fait (..........................) une longue route (..........................).

> **JE RETIENS**
>
> **Les verbes « passe-partout »**
>
> Utiliser des synonymes permet d'éviter l'emploi de ces **verbes « passe-partout »** comme *faire*, *être* ou *dire*. On peut par exemple remplacer *dire* par un synonyme plus précis : *raconter, expliquer, avouer...*

4 Reliez chaque mot à son contraire.

ami ●   ● se rappeler
perdre ●   ● faible
fort ●   ● souffrance
plaisir ●   ● ennemi
oublier ●   ● gagner

> **JE RETIENS**
>
> **Les antonymes**
>
> Quand ils sont le **contraire** l'un de l'autre et qu'ils appartiennent à la **même classe grammaticale**, deux mots sont **antonymes** : *laideur/beauté* (noms).

5 Formez l'antonyme de chaque adjectif. Pour cela, ajoutez le préfixe qui convient.

*Ex. : honnête : **mal**honnête*

a. régulier : ......régulier   **d.** mobile : ....mobile

b. plaisant : ....plaisant   **e.** gonflé : ....gonflé

c. logique : ......logique   **f.** fait : ....fait

> **JE RETIENS**
>
> **La formation des antonymes**
>
> On peut former un antonyme en ajoutant un **préfixe privatif** : *dé-* ; *mal-* ; *im-* ; *in-* ; *il-* ; *ir-*. Le choix du préfixe dépend de la première lettre du radical : *im + mature* ; *im + buvable* ; *il + légitime* ; *ir + réel*.

6 Formez l'antonyme de chaque adjectif en ajoutant le préfixe qui convient.

a. légal → ....légal

b. précis → ....précis

c. coloré → ....coloré

d. prévu → ....prévu

e. imaginable → ....imaginable

f. heureux → ....heureux

g. responsable → ......responsable

h. digeste → ....digeste

i. agréable → ....agréable

7 Replacez les mots suivants dans le tableau.

méconnaitre – inconnu – savoir – la culture – célèbre – l'ignorance

mot	synonyme	antonyme
la connaissance	....	....
connaitre	....	....
connu	....	....

8 Indiquez un synonyme de niveau courant pour chacun de ces verbes de niveau familier.

a. chiper : ....

b. pioncer : ....

c. bouquiner : ....

d. bosser : ....

e. s'empiffrer ....

f. kiffer : ....

g. rigoler : ....

h. se casser : ....

i. gonfler : ....

9 Dans chacune de ces phrases, choisissez le synonyme qui convient parfaitement pour remplacer le mot *grande*.

intense – large – vaste – haute – élancée – profonde

a. C'est une très grande plaine. : ....

b. C'est une très grande montagne. : ....

c. Élodie est très grande : ....

d. Elle a connu une grande souffrance. : ....

e. Ce pantalon est trop grand. : ....

f. La crise économique les laisse dans une grande misère. : ....

10 REVISION Ce texte est fondé sur la répétition amusante d'expressions qui sont synonymes. Replacez correctement les synonymes suivants après chaque mot ou expression.

pas mal grotesque – covoyageur – confusion – à midi – montai – s'efforce – terrasse arrière – sort – remarquai – véhicule des transports en commun – profère – un vieil adolescent – quasiment complet – pleurnichards

Vers le milieu de la journée et ....,
je me trouvai et .... sur la plate-forme
et la .... d'un autobus et d'un
.... bondé
et .... de la ligne S […]. Je vis
et .... un jeune homme et ....
.... assez ridicule et
.... […]. Après une
bousculade et ...., il dit et
.............................d'une voix et d'un ton
larmoyants et .... que
son voisin et .... fait exprès
et .... de le pousser [...]
chaque fois qu'on descend et ....

Raymond Queneau, *Exercices de style*,
« En partie double », © éditions Gallimard, 1947.

Expression

11 Imitez le texte de Raymond Queneau et écrivez une très courte scène où un très grand nombre de mots et d'expressions seront immédiatement suivis d'un synonyme.

12 *« Il était une fois une jeune, jolie et gentille sorcière qui préparait un délicieux mélange dans une minuscule marmite. »*

Inventez la suite de l'histoire jusqu'à l'apparition de l'élément perturbateur. Une fois que vous aurez terminé, remplacez chaque adjectif que vous aurez employé par son antonyme, pour avoir l'exact contraire de votre texte.

J'observe et je retiens

1 **OBSERVATION** Lisez ce poème puis répondez aux questions.

Il y a le **vert** du cerfeuil
Et il y a le **ver** de terre
Il y a l'endroit et l'envers
L'amoureux qui écrit, en **vers**,
Le **verre** d'eau plein de lumière,
La fine pantoufle de **vair**
Et il y a moi, tête en l'air,
Qui dis toujours tout de travers.

Maurice Carême,
Le Mât de Cogagne,
© Fondation
Maurice Carême.

a. Quel est le point commun des mots en gras ?

....

....

b. Ont-ils le même sens ?

....

b. Comment les distingue-t-on à l'écrit ?

....

> **JE RETIENS**
> **Les homonymes (homophones)**
> Ce sont des mots qui **se prononcent de la même manière**, qui n'ont **pas le même sens** et dont l'orthographe peut être différente.
> *Ex. : J'aime le foie de veau et, ma foi, je suis content chaque fois que j'en mange.*

2 Lisez les phrases suivantes. Quel est le point commun des mots en gras ?

a. Je vais bientôt **emménager** dans mon nouvel appartement que je devrai **aménager**.

b. **Impossible** de rester **impassible** devant ce spectacle.

....

....

> **JE RETIENS**
> **Les paronymes**
> Ce sont des mots dont la **prononciation est très proche**, mais pas identique. Ils appartiennent à la même catégorie grammaticale, ce qui favorise les **confusions**.
> *Ex. : compréhensible/compréhensif* (adjectifs) ; *effraction/infraction* (noms communs).

3 Trouvez un mot de la même famille pour chaque paire.

a. laid : .... – lait : ....

b. porc : .... – port : ....

c. coup : .... – cout : ....

d. champ : .... – chant : ....

e. poing : .... – point : ....

d. vingt : .... – vin : ....

> **JE RETIENS**
> **Distinguer deux homophones**
> Il suffit parfois de **chercher un mot de même famille**, qui permettra de retrouver la **consonne finale**.
> *Ex. : vert/vertement ; vers/versification*

4 Retrouvez les homonymes correspondant aux définitions proposées.

1. Morceau d'étoffe destiné à cacher (masculin) : *un voile*

Grande toile qui prend le vent et fait avancer un bateau (féminin) : *une voile*

2. Appareil de chauffage à bois (masculin) :

....

Ustensile de cuisine avec lequel on fait des crêpes (féminin) : ....

3. Partie longue et étroite d'un outil (masculin) :

....

Partie latérale du vêtement (féminin) : ....

4. Marin de moins de 16 ans (masculin) : ....

Plante verte et douce (féminin) : ....

5 Placez chaque homonyme à la place qui convient. Aidez-vous de mots de la même famille.

a. (*pâte/patte*) Ce cheval a mal à la .... Je prépare une .... sablée.

b. (*thermes/termes*) Il s'est exprimé en ces ....
Les .... sont chauffés à la vapeur.

c. (*thon/ton*) J'ai acheté du .... Je n'aime pas le .... sur lequel tu me parles.

d. (*pensé/pansé*) Ils ont .... leurs blessures.
J'ai .... à toi hier.

6 Complétez les pointillés en choisissant l'homonyme qui convient parmi les mots proposés. Aidez-vous si nécessaire d'un dictionnaire.

a. (*faite, faites, fête*) Vous .... la .... grimpés sur le .... du toit.

b. (*sans, cent, sang, s'en*) .... don du ...., ces .... malades ne vont pas .... sortir.

c. (*saule, sol, sole*) J'ai fait tomber une .... sur le .... sous le .... pleureur.

d. (*conte, compte, comte*) Le .... fait ses .... puis lit un .... à ses enfants.

e. (*air, aire, erre, hère*) Un pauvre .... en regardant en l'.......................... un aigle qui rejoint son ....

7 Entourez le terme qui convient parmi les homonymes proposés. Aidez-vous d'un dictionnaire.

a. M. Durand, le *mère/maire* de la ville, déteste la chasse à *courre/court*.

b. Ses enfants emportent toujours un *sot/seau* pour transporter leurs *verres/vers* de terre.

c. Ils *courent/cours* sur la plage ou font des *sauts/sceaux* dans l'eau.

d. On leur lit des poèmes dont les *vers/verts* parlent de la *cour/court* d'un roi imaginaire.

e. Ils portent des shorts très *courts/cours* pour jouer sur le *court/cours* de tennis.

f. Ensuite, leur *mère/mer* leur offre plusieurs *vers/verres* d'eau bien mérités.

g. Pour qu'ils ne deviennent pas *sots/sauts*, Mme Durand leur fait *cours/courent* tous les jours.

h. Ils apprennent des expressions comme « les pantoufles de *vers/vair* » ou « le *sceau/sot* du roi ».

8 Entourez le terme qui convient parmi les paronymes proposés. Aidez-vous si nécessaire d'un dictionnaire.

a. Le feu achève de se *consommer/consumer*.

b. Ce champignon est *vénéneux/venimeux*.

c. Il fit *éruption/irruption* dans la pièce.

d. La mauvaise indication l'a *induit/enduit* en erreur.

e. Le voleur est entré par *infraction/effraction*.

f. Cet étang est *infesté/infecté* de moustiques.

g. Ils ont commis le péché *originel/original*.

h. Elle le regardait avec *infection/affection*.

i. Je déteste les *opportuns/importuns*.

9 RÉVISION Corrigez les phrases suivantes en remplaçant le mot souligné par le paronyme ou l'homonyme qui convient.

a. Ce véhicule mal garé est en effraction.

....

b. Je vais consulter les provisions météorologiques.

....

c. Sa blessure s'est infestée rapidement.

....

d. Mon chien est très affectif.

....

e. L'Oise est un influent de la Seine.

....

f. Avec son télescope, cet astrologue observe les étoiles.

....

g. J'ai découvert des empruntes de pas.

....

h. Ce cours est vraiment très ennuyant.

....

i. Ses comtes ne tombent pas justes.

....

Expression

10 Rédigez un court texte dans lequel vous utiliserez les homonymes de deux mots au choix parmi les mots suivants.
cour – cerf – lait – cher – temps – mère – père – poids – voix – eau

11 Lisez cet extrait et inventez à votre tour un menu de fête en utilisant des paronymes et des homonymes pour donner à votre récit un ton humoristique (*gâteux/gâteau ; tarte/carte...*).

Le prince de Motordu ne s'ennuyait jamais. […] Quand le dimanche arrivait, il invitait ses amis à déjeuner. Le menu était copieux : **boulet** rôti, purée de petit **bois**, **pattes** fraîches à volonté, **Suisses** de grenouilles, **braises** du jardin, confiture de **murs** de la maison.

Pef, *La Belle Lisse Poire du prince de Motordu*,
© éd. Gallimard Jeunesse, 2001.

J'observe et je retiens

1 **OBSERVATION** Trouvez un titre pour chaque liste de mots.

....	....	....	....
éclair	vagues	bureau	marmite
flan	marée	exercice	passoire
baklava	tempête	professeur	couteau

▶ **JE RETIENS**

Le champ lexical

Dans un texte, les mots parlent souvent de la **même chose** et abordent le **même sujet**. Ils ne sont pas forcément de la même famille, n'ont pas forcément la même nature ou le même sens, mais ils se rapportent à un **même domaine**. On dit alors qu'ils appartiennent au même **champ lexical**.

2 Indiquez à quel champ lexical appartient chaque série qui suit.

a. sable – dune – mirage – oasis – chameau

→ ....

b. Zeus – Osiris – Neptune – Enlil – Apollon

→ ....

c. étalon – hennir – cravache – galoper – sabot

→ ....

d. professeur – médecin – caissière – directrice – agent

→ ....

e. vacarme – tintement – retentir – assourdissant

→ ....

f. bruler – attiser – buche – étincelle – incandescent

→ ....

g. croyant – athée – divinité – rite – foi

→ ....

▶ **JE RETIENS**

Le nom du champ lexical

C'est un **mot générique**, c'est-à-dire un nom **plus général** et **moins précis**, qui permet de « donner un titre » à un ensemble de mots.

Ex. : Les mots *élève*, *enseignement*, *évaluation*, *bureau* peuvent être « résumés » par les mots *école* ou *scolarité*.

3 Barrez l'intrus qui s'est glissé dans chacune des listes suivantes.

a. vague – bateau – poisson – voile – ville – naufrage – tempête – port

b. printemps – nourriture – naissance – aube – début – berceau – commencement

c. compact – foule – dense – successif – nombreux – serré – multitude – entasser

d. emflammer – feu – incendie – fumée – air – braise – rougeoyant

4 Indiquez les noms des deux champs lexicaux utilisés par chaque texte.

Texte a

Elle fait souvent des gâteaux absolument difformes et repoussants. Pourtant, toutes ces pâtisseries à l'air répugnant sont délicieuses : ainsi, ses flans, ses éclairs et ses fraisiers sont horriblement laids mais pourtant savoureux.

1. ....

2. ....

Texte b

Daphné sentit ses membres s'engourdir ; une fine écorce enveloppa sa délicate poitrine ; un feuillage recouvrit ses cheveux ; ses bras s'allongèrent en rameaux ; tout à l'heure si rapides, ses pieds prirent racine et s'attachèrent à la terre ; la cime d'un arbre couronna sa tête.

Ovide, *Métamorphoses*.

1. ....

2. ....

▶ **JE RETIENS**

L'utilité des champs lexicaux

Les retrouver est souvent utile pour **comprendre le sens d'un mot inconnu** mais aussi pour repérer de quoi parle le texte.

Ex. : Si on trouve les mots *mijoter*, *pincée*, *cuillère à soupe* et *spatule*, on saura que le texte parle de cuisine et on pourra deviner le sens d'un mot mal connu, comme *rissoler*.

Je m'exerce

5 Classez les adjectifs suivants en fonction du champ lexical auquel ils appartiennent.

magnifique – furieux – périlleux – dangereux – appétissant – colérique – superbe – alléchant

beauté	gourmandise	colère	danger
....	....	....	....
....	....	....	....

6 Indiquez au centre de chaque étoile le nom du champ lexical correspondant. Attention ! Une des branches est à compléter.

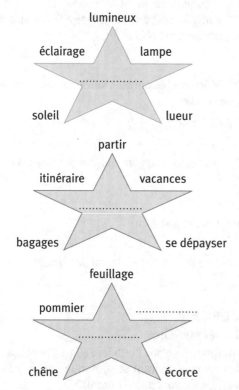

lumineux
éclairage — lampe
....
soleil — lueur

partir
itinéraire — vacances
....
bagages — se dépayser

feuillage
pommier — ....
....
chêne — écorce

7 Indiquez au centre de chaque étoile le nom du champ lexical correspondant puis complétez les branches vides.

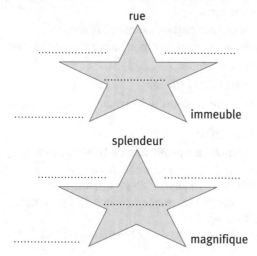

rue
.... — ....
....
.... — immeuble

splendeur
.... — ....
....
.... — magnifique

8 RÉVISION Barrez l'intrus qui s'est glissé dans chaque champ lexical.

a. souffrance – endurer – pénible – rustique
b. léger – voler – coller – plume – doucement
c. peindre – coloré – camaïeu – coupure – indigo
d. travailleur – profession – léger – ouvrage
e. combattre – paix – bombarder – conflit – soldat
f. bravement – téméraire – aventures – douceur
g. clarté – illuminé – coloré – lumineux

Expression

9 Décrivez cette image de la tour de Babel en utilisant le champ lexical de l'architecture et du bâtiment.

« La construction de la tour de Babel », extrait du livre *Les Heures de Bedford*, 1423.

10 Voici le début d'une histoire :

Je me suis réveillé, le cœur battant et les mains moites. La chose était là sous mon lit, vivante et dangereuse.

Bernard Friot, *Histoires pressées*, © éditions Milan, 1988.

Écrivez la suite à la première personne du singulier en utilisant les champs lexicaux de la peur et du danger.

11 Les niveaux de langue

J'observe et je retiens

1 **OBSERVATION** Reliez chaque phrase à la personne à laquelle on pourrait l'adresser.

T'as pas intérêt à toucher à mon stylo !

Auriez-vous l'amabilité de me passer le sel ?

Quelle heure est-il ?

Il est trop bien, ce tee-shirt, non ?

C'est très fâcheux, tout cela.

Désolé, je suis un peu en retard !

- à un ami proche ou à un camarade
- à une personne que l'on connait, sans en être proche
- à un supérieur ou à un inconnu

JE RETIENS
Un langage adapté à la situation
On utilise des mots et des phrases **adaptés à une situation et à un destinataire**. Ces différentes façons de communiquer s'appellent les **niveaux de langue**.

2 Réécrivez les phrases en fonction du nouveau destinataire indiqué, comme dans l'exemple.

Ex. : *À un commerçant : Auriez-vous de la monnaie ?*
→ *À son frère : Tu as un peu de monnaie ?*

a. *À un ami* : T'as paumé tes clés ?

→ *À un professeur* : ....
....

b. *À un passant* : Quelle heure est-il, s'il vous plait ?

→ *À un ami* : ....
....

c. *À sa petite sœur* : T'es hyper jolie, aujourd'hui !

→ *À une passsante* : ....
....

d. *À un surveillant sympathique* : On peut sortir ? On n'a plus cours.

→ *Au principal du collège* : ....
....
....

e. *À un ami* : Tu as l'heure ?

→ *À un ministre* : ....
....

JE RETIENS
Les différents niveaux de langue
1. Le niveau **familier** est surtout utilisé à l'oral, en particulier avec des proches.
2. Le niveau **courant** est l'usage le plus commun et le plus neutre de la langue. C'est par exemple celui des manuels ou du journal télévisé.
3. Le niveau **soutenu** est utilisé à l'écrit ou dans des situations plus officielles.

3 Réécrivez les phrases suivantes dans un niveau de langue courant.

a. Y a rien à dire.

→ ....

b. Ces mecs, ils nous ont aidés à pas nous perdre.

→ ....
....

c. Toi, touche pas à ça.

→ ....

d. Il est où le gymnase ? Je l'ai pas trouvé.

→ ....

JE RETIENS
La négation *ne*
Attention à ne pas l'oublier : elle est nécessaire pour les niveaux courant et soutenu : *Je pars pas* (familier)/*Je ne pars pas* (courant).

4 Indiquez le niveau de langue utilisé dans chacune de ces phrases.

a. C'est qui qui part en premier ? *Niveau* ....
b. Auriez-vous retrouvé mon sac, par le plus grand des hasards ? *Niveau* ....
c. Bon, tu viens ? *Niveau* ....
d. Est-ce que tu es prête ? *Niveau* ....

JE RETIENS
La structure des phrases interrogatives
Elle est différente selon le niveau de langue :
– familier : *Tu viens ?* / *Il y a quelqu' un ?*
– courant : *Est-ce que tu viens ?* / *Est-ce qu' il y a quelqu' un ?*
– soutenu : *Viens-tu ?* / *Y a-t-il quelqu' un ?*

5 Complétez le tableau avec des expressions équivalentes à celles qui sont données.

niveau familier	niveau courant	niveau soutenu
....	Sors de là !	....
....		....
....		....
....	Ils n'écoutent rien.	....
....		....
....		....
Je la kiffe grave.	....	....
	....	....
	....	....
....	....	Pourrais-tu cesser de discuter ?
....	....	
....	....	
On a bien rigolé !	....	....
	....	....
	....	....
....	....	Cette automobile est superbe !
....	....	
....	....	

6 Indiquez quel niveau de langue pourrait être utilisé dans les situations de communication suivantes.

a. J'achète des timbres à la Poste.

Niveau ....

b. Un ministre prononce un discours d'inauguration.

Niveau ....

c. Ma mère, énervée, me demande de ranger ma chambre pour la troisième fois.

Niveau ....

d. Deux experts scientifiques parlent du réchauffement climatique.

Niveau ....

e. Un camarade enthousiaste me parle de son nouveau jeu vidéo.

Niveau ....

f. Je demande à un professeur, au nom de toute la classe, de repousser un devoir.

Niveau ....

7 RÉVISION En fonction de la phrase et de la situation, entourez le terme qui convient le mieux.

a. Est-ce que tu veux que je t'aide à préparer (*la bouffe/ le repas/la pitance*) ?

b. Hop ! Tu changes de (*fringues/vêtements/mise*) et on file au resto, OK ?

c. Il est normal que vous n'ayez pas encore (*capté/compris/saisi*) les règles de ce jeu fort complexe.

d. Je n'achèterai pas cette assiette : regardez, elle est (*pétée/cassée/craquelée*) !

e. Il est hors de question que les enfants mettent un pied dans le salon, (*dégueulasses/sales/malpropres*) comme ils sont après leur promenade !

f. Je me vois au regret de vous annoncer que Sa Seigneurie (*a clamsé/est morte/nous a quittés*).

g. Elle va quand même pas (*se fringuer/s'habiller/se vêtir*) comm'ça pour ma teuf, elle ?

h. Je vous prie de m'excuser d'avoir (*chouiné/pleuré/ versé une larme*), mais ce spectacle était sublime.

i. Les garçons, est-ce que vous pourriez (*la fermer/vous taire/faire silence*) ?

j. Ce sale cabot m'a encore (*pourri/sali/dévasté*) tout l'appart' !

Expression

8 Transformez cet extrait de fable d'abord au niveau courant, puis au niveau familier.

Hé ! Bonjour, Monsieur du Corbeau.
Que vous êtes joli ! Que vous me semblez beau !
Sans mentir, si votre ramage
Se rapporte à votre plumage,
Vous êtes le Phénix des hôtes de ces bois.

La Fontaine, *Le Corbeau et le Renard.*

9 Un homme cherche son chat et, de plus en plus inquiet et énervé, demande aux personnes qu'il rencontre si elles ne l'auraient pas vu. Il croise son directeur, la boulangère, puis son meilleur ami. Vous devrez utiliser, à chaque fois, le niveau de langue qui convient.

10 Un enfant a été ensorcelé par une sorcière : désormais, il n'utilise plus que le niveau de langue soutenu. Racontez ses mésaventures dans un récit construit et cohérent qui comportera des dialogues bien ponctués.

Test 1

Cette série d'exercices vous permettra d'évaluer vos connaissances après avoir complété l'ensemble des fiches de la 1ʳᵉ partie. Chaque réponse correcte vaut 0,5 point. **À vous de jouer!**

1 Cochez la case qui correspond au sens de chaque mot en gras. ▶ *fiche n° 1*

a. Je **nage** dans le bonheur. ☐ propre ☐ figuré

b. Je **nage** avec bonheur. ☐ propre ☐ figuré

c. Le **requin** attaque rarement l'homme. ☐ propre ☐ figuré

d. Mon patron, à Londres, est un requin de la finance. ☐ propre ☐ figuré

... /2

2 Cochez la case qui correspond à la langue d'origine de chaque mot ▶ *fiche n° 2*

a. pisciculture ☐ grec ☐ latin

b. orthographe ☐ grec ☐ latin

c. pyromanie ☐ grec ☐ latin

d. vermifuge ☐ grec ☐ latin

e. chronophage ☐ grec ☐ latin

f. aqueduc ☐ grec ☐ latin

... /3

3 Entourez l'intrus dans chacune de ces familles. ▶ *fiche n° 5*

a. corps – corporel – corne – corpulent

b. venir – venin – revenant – convenir

c. bord – aborder – débordement – borne

d. clair – clarté – éclater – éclaircissement

/2

4 Dans chaque mot, entourez le préfixe, soulignez le radical et barrez le suffixe. ▶ *fiches n° 6 et n° 7*

a. désavantageux

b. illégalité

c. insensibilisé

d. intraitable

e. reconnaissance

f. anonymat

g. épointer

h. remplacement

/4

5 Cochez la réponse qui convient pour chaque paire de mots. ▶ *fiche n° 8*

a. *délicat* et *raffiné* sont synonymes.
☐ vrai ☐ faux

b. *délicat* et *unique* sont antonymes.
☐ vrai ☐ faux

c. *coloré* et *peintures* sont synonymes.
☐ vrai ☐ faux

d. *coloré* et *terne* sont antonymes.
☐ vrai ☐ faux

e. *déplaire* et *haine* sont synonymes.
☐ vrai ☐ faux

f. *déplaire* et *charmer* sont antonymes.
☐ vrai ☐ faux

... /3

6 Entourez l'intrus dans chaque liste de mots appartenant au même champ lexical. ▶ *fiche n° 10*

a. grimoire – potion – poire – filtre

b. sirène – pompier – voyage – navire

c. envie – fée – magie – vœux

d. carrosse – laquais – emploi – cheval

e. beauté – magnifique – superbe – erreur

f. sentier – désertifié – forestier – arbre

/3

7 Trouvez pour chaque verbe un synonyme de niveau courant ▶ *fiche n° 11*

a. chiper : ....

b. congratuler : ....

c. pioncer : ....

d. exaspérer : ....

e. virer : ....

f. revêtir : ....

/3

TOTAL : ...... /20

Enrichir
son vocabulaire

J'observe et je retiens

1 OBSERVATION

Illustration pour *Alice au pays des merveilles*, 1890.

Observez l'image puis complétez l'extrait qu'elle illustre grâce aux mots suivants.

contre – dans – sur – sous – par-dessus – entre – à – à un bout de – devant

.... un arbre, ... la maison, se trouvait une table servie où le Lièvre de Mars et le Chapelier étaient en train de prendre le thé ; un Loir, qui dormait profondément, était assis .... eux, et les deux autres appuyaient leurs coudes .... lui comme sur un coussin en parlant .... sa tête. [...] La table était très grande ; pourtant tous trois se serraient l'un .... l'autre .... un même coin. « Pas de place ! Pas de place ! » s'écrièrent-ils en voyant Alice. « Il y a de la place à revendre ! » répondit-t-elle avec indignation, et elle s'assit .... un grand fauteuil .... la table.

Lewis Carroll, *Alice au pays des merveilles*, 1865.

▶ **JE RETIENS**

Les indices de lieu

Ils permettent de **situer** les êtres et les objets et sont souvent **introduits par des prépositions** (*à, dans, par, pour, en, vers, avec, de, sans, sous...*) **et des locutions** : *au-dessus, à côté de, à proximité de, loin de, à droite de, derrière, au fond de, au bord de, au milieu de, au sommet de, le long de, etc.*

2 LE MOT DANS SON CONTEXTE Observez l'image de l'exercice 1 puis complétez ce texte grâce aux prépositions et adverbes de lieu suivants.

près – contre – en – entre – devant

L'illustrateur a placé une théière .... le Lièvre de Mars. Alice est assise .... de celui-ci, tandis que le Loir dort tout .... le Lièvre, le nez placé .... ses pattes. .... arrière-plan, on aperçoit l'arbre et la maison.

▶ **JE RETIENS**

Les synonymes de *près de*

On peut éviter de répéter cette expression en utilisant, selon les cas : *à côté de, aux abords de, à proximité de, aux alentours de, proche de...*

3 LE MOT DANS SON CONTEXTE Dans le texte suivant, entourez les indices de lieu et les mesures de distance.

« Donne-moi vite mes bottes de sept lieues, lui dit-il, afin que j'aille les attraper. » [...] Après avoir couru bien loin de tous les côtés, enfin il entra dans le chemin où marchaient ces pauvres enfants, qui n'étaient plus qu'à cent pas du logis de leur père.

Charles Perrault, *Le Petit Poucet*, 1697.

4 ANTONYMES Replacez chaque adjectif après son contraire.

raide – lointain – luxueux – étroit – spacieux – gigantesque

Dans un royaume **proche** (.........................), un roi vivait dans un **minuscule** (...............................) château. Pour monter dans son logis **modeste** (.........................) et **exigu** (...........................), il gravissait un **large** (...............................) escalier à la pente très **douce** (.........................).

▶ **JE RETIENS**

Les adjectifs de lieu

Ils permettent de **préciser** et de mieux **se représenter le décor** du récit : *retiré, isolé, éloigné (lointain) ; élevé, vertigineux (haut) ; escarpé, abrupt (raide) ; voisin, attenant, avoisinant (proche) ; etc.*

5 **SUFFIXES** Retrouvez le nom qui correspond à chaque adjectif.

Ex. : immense → immensité

a. étendu → ....

b. proche → ....

c. raide → ....

d. escarpé → ....

e. petit → ....

f. grand → ....

g. loin → ....

6 **SENS** Reliez chaque définition au nom d'habitation qui lui correspond. Aidez-vous si nécessaire d'un dictionnaire.

vaste demeure luxueuse •

demeure royale ou aristocratique •

belle demeure ancienne •

petite maison de campagne •

habitation misérable et délabrée •

habitation sale et sans hygiène •

• chaumière

• masure

• taudis

• manoir

• château

• palais

7 **SENS** Classez ces noms en fonction de ce qu'ils désignent. Aidez-vous si nécessaire d'un dictionnaire.

une contrée – un logis – des pénates – un pays – un palais – une province – une forteresse – un abri – une citadelle

habitation	château	région
....	....	....
....	....	....
....	....	....

8 **SYNONYMES** Entourez l'intrus qui s'est glissé dans chacune de ces listes.

a. gouffre – cime – précipice – ravin

b. village – hameau – bourgade – métropole

c. colline – vallon – coteau – butte

d. pic – sommet – vallée – aiguille

e. source – estuaire – delta – embouchure

f. prairie – méandre – pâturage – pré

9 **RÉVISION** Replacez chaque adjectif après son synonyme.

vaste – tortueux – paisible – abrupte – encaissée

Je marchais dans une vallée **étroite** (...........................).

La pente était **escarpée** (...........................) et le sentier très **sinueux** (...........................). Heureusement, au bout du chemin, j'ai découvert une prairie, **étendue** (...........................) et **tranquille** (...........................).

Expression

10 Décrivez le lieu représenté dans cette image. Vous utiliserez de nombreuses précisions de lieu ainsi que les verbes *se situer, se trouver, demeurer, se dresser*.

Le château de Beynac, Dordogne.

11 Après avoir lu cet extrait, dessinez la tour telle que les frères Grimm la décrivent dans ce conte. Puis, en utilisant de nombreux indices de lieu, racontez la suite du texte en imaginant que Raiponce est sauvée par un prince.

La sorcière enferma Raiponce dans une tour qui se dressait au milieu des bois, sans escalier ni porte. Et comme la tour n'avait pas d'autre ouverture qu'une minuscule fenêtre tout en haut, quand la sorcière voulait y entrer, elle appelait sous la fenêtre et criait : « Raiponce, Raiponce, descends-moi tes cheveux. » En entendant la voix de la sorcière, elle détachait ses longs et merveilleux cheveux dorés.

Les frères Grimm, *Raiponce*, 1818.

13 L'expression du temps

1 OBSERVATION **Dans ce texte, entourez les éléments qui précisent l'époque ou la durée de l'action.**

Nous voici en décembre : plus de petits insectes, ils sont tous frileusement camouflés […]. Et la température commence à devenir franchement glaciale au fil des jours. Depuis plus de quinze jours, une bise venimeuse a épluché le pommier de toutes ses feuilles.

La Hulotte, n° 48.

2 OBSERVATION **Reliez chaque phrase à ce qu'indique chaque expression en gras.**

Il y vécut pendant cinquante ans. ●   ● répétition

La guerre éclata en 1914. ●   ● moment

Ils sont partis l'autre jour. ●   ● date

Je vais à la piscine chaque samedi. ●   ● durée

▷ **JE RETIENS**

L'expression du temps
C'est une information donnée sur l'**époque**, la **date**, le **moment**, la **durée** ou la **fréquence** (répétition) des actions. Ces expressions sont indispensables pour **situer** et **raconter** correctement une histoire.

3 SUFFIXES **Complétez le tableau à l'aide de mots de même famille.**

nom	adjectif	adverbe
brusquerie	brusque	brusquement
....	éternel	....
fuite	....	fugitivement
durabilité	....	....
....	momentané	....
constance	....	....
....	....	rarement

▷ **JE RETIENS**

Les adverbes de durée et de fréquence
Souvent terminés par le **suffixe** -*ment*, ils permettent d'indiquer :
– la **durée** : *durablement, continuellement, longuement, fugacement, longtemps...*
– la **fréquence** : *fréquemment, souvent...*

4 CHAMP LEXICAL **Ces expressions situent les évènements dans le temps. Reclassez chaque numéro du plus ancien au plus lointain.**

1. après-demain soir – **2.** au XX\ :sup:`e` siècle – **3.** il y a une seconde – **4.** quand les poules auront des dents – **5.** jadis – **6.** la semaine prochaine – **7.** l'an prochain – **8.** dans deux millions d'années – **9.** quand j'étais petit – **10.** à l'époque de Mathusalem – **11.** dans un instant – **12.** à l'aube des temps – **13.** tout de suite – **14.** en 2046 – **15.** dans une heure

........–........–........–........–........–........– 13 –........–........ – ....–........–........–........–........–........ – 4

▷ **JE RETIENS**

Antériorité, postériorité, simultanéité
– Une action est **antérieure** à une autre quand elle se passe avant (antériorité) : *auparavant, jadis, peu de temps avant, autrefois, avant de partir...*
– Une action est **postérieure** à une autre quand elle se passe après (postériorité) : *peu après, plus tard, ensuite, dès lors, par la suite...*
– Deux actions sont **simultanées** quand elles se passent **au même moment** (simultanéité) : *simultanément, en même temps, au moment où, tandis que, alors que...*

5 CULTURE **Ces mots indiquent des durées : reclassez leurs numéros depuis la durée la plus courte jusqu'à la plus longue.**

1. million d'année   **8.** saison – **9.** millénaire
2. décennie – **3.** jour   **10.** minute – **11.** année
4. lustre – **5.** mois   **12.** semestre – **13.** heure
6. siècle – **7.** seconde

........–........–........–........–........–........–........–........– 4 –........–........–........–........

▷ **JE RETIENS**

« Des lustres »
Depuis des lustres, il y a des lustres, voilà des lustres que : le lustre désigne aujourd'hui une **période** assez **longue** et **indéterminée**. Mais, à l'origine, ce mot désigne une **période de cinq ans**.

6 SENS Indiquez ce qu'expriment les indices de temps en gras : date, durée, moment ou fréquence.

*Ex. : Il est parti **vers midi**. (moment)*

a. **Ce soir-là**, le capitaine décida de partir. (.....................)

b. **Demain**, nous écrirons à la sorcière. (.....................)

c. Elle est née **le 14 mai 1957**. (.....................)

d. Helen était sourde et muette **depuis sa naissance**. (.....................)

e. **Chaque jour**, Cosette allait chercher de l'eau au puits. (.....................)

f. **Un jour**, un ogre apparut. (.....................)

g. Il s'arrêtait **tous les matins** devant ce beau jardin. (.....................)

7 SYNONYMES Complétez chaque phrase avec un synonyme de l'indice de temps.

a. **Autrefois** (.....................) les ogres parcouraient les forêts et les marais.

b. **Désormais** (.....................), ils sont plus rares.

c. **Tout à coup** (.....................) un ogre entra dans une terrible colère.

d. **Dès lors** (.....................), il pourchassa sans relâche les jeunes enfants bien dodus.

e. Mais ceux-ci dirent : « Il faut lui tendre un piège **tout de suite** (.....................). »

f. **Quelquefois** (.....................) l'ogre semblait sur le point de gagner.

g. Mais **sans cesse** (.....................) les enfants remportaient la victoire.

8 RÉVISION Complétez chaque phrase à l'aide des mots de l'exercice 5.

a. Il y a plusieurs ...., les dinosaures dominaient la Terre.

b. Tu as raté le train de peu : il est parti il y a seulement quelques .... !

c. Le 1er janvier 2001, nous sommes entrés dans le troisième ....

d. En 1789, nous étions au XVIIIe ....

e. Cela fait des .... qu'on n'a pas vu de tigre blanc.

f. Les baleines sont classées parmi les espèces en danger depuis des ....

9 RÉVISION Lisez ce texte puis complétez-le à l'aide des indices de temps suivants.

alors – sans cesse – au début du monde – peu à peu – un matin – chaque jour – jamais

....................., la mer n'était pas salée. Les poissons et les baleines nageaient dans une eau douce et pure. Les hommes la buvaient et l'utilisaient .... pour la lessive, la vaisselle et l'eau de leur bain. Ils ne s'en privaient .... ! Ils utilisaient .... des tonnes de savon, et buvaient, buvaient jusqu'à en devenir énormes ! ...., le niveau de l'eau baissa et l'eau douce devint de plus en plus sale et polluée, à tel point qu'....................., le baleineau tomba malade. La baleine décida .... d'aller voir les hommes.

10 RÉVISION Remplacez chaque *après* par un synonyme différent.

a. La baleine monta à la surface, et **après** (.....................) elle sortit la tête de l'eau.

b. Elle aperçut les hommes et **après** (.....................) elle leur demanda d'arrêter.

c. Mais les hommes ne l'écoutèrent pas. **Après** (.....................) elle décida d'en parler aux poissons, qui comprirent son chagrin.

d. **Après** (.....................), ils montèrent à la surface et firent la même demande aux hommes.

Expression

11 Inventez l'horrible recette de potion magique qu'une sorcière pourrait préparer. Attention ! Prenez soin de guider pas à pas votre lecteur grâce aux indications de temps, et faites un paragraphe pour chaque étape.

12 « *Dans les temps anciens et reculés [...] l'éléphant n'avait pas de trompe.* »

Imaginez la suite de ce conte de Rudyard Kipling (*Histoires comme ça*), qui expliquera pourquoi, aujourd'hui, l'éléphant a une trompe. Vous utiliserez de nombreux indices de temps et construirez votre récit en utilisant un schéma narratif clair et précis.

J'observe et je retiens

1 OBSERVATION **Dans cet extrait, entourez les mots qui appartiennent au vocabulaire de la forêt.**

Ils allèrent dans une forêt fort épaisse où, à dix pas de distance, on ne se voyait pas l'un l'autre. Le bucheron se mit à couper du bois, et ses enfants à ramasser des broutilles pour faire des fagots. Le père et la mère, les voyant occupés à travailler, s'éloignèrent d'eux insensiblement, et puis s'enfuirent tout à coup par un petit sentier détourné.

Charles Perrault, *Le Petit Poucet*, 1697.

2 FAMILLES **Complétez chaque phrase à l'aide de mots de la famille de *bois* et de *forêt*. Pour cela, ajoutez le préfixe ou le suffixe qui convient.**

a. Couvertes de forêts, les Vosges sont un massif montagneux très bois........... .

b. Les bucherons viennent tout juste de ....bois...... intégralement la montagne.

c. Cette forêt a été ravagée par la tempête : nous devons la ....bois.......... de toute urgence.

d. En Amazonie, la ....forest.............. illégale a hélas augmenté au cours des derniers mois.

e. Le garde forest.......... patrouille dans les bois.

▶ **JE RETIENS**

L'accent circonflexe

Sur certains mots, il remplace souvent un *s* disparu au fil du temps : *forest/forêt* ; *castel/château* ; *feste/fête*. On retrouve ce *s* dans les mots de même famille (*hôpital/hospitalier* ; *bête/bestial* ; *tempête/intempestif*).

3 SUFFIXES **Transformez chaque nom en adjectif à l'aide des suffixes suivants. Attention : quelques radicaux seront modifiés.**

-être, -ique, -eux, -u, -ier, -agé, -ard

Ex. : *bois → boisé*

a. forêt → ....

b. champ → ....

c. campagne → ....

d. désert → ....

e. pierre → ....

f. feuille → ....

g. ombre → ....

4 SYNONYMES **Complétez ces phrases par l'un des mots suivants.**

berges – rives – rivages – lisière

a. Les ....de la Méditerranée sont très peuplés.

b. Les pêcheurs sont sur les .... de la Seine.

c. La ville de Bamako est construite de part et d'autre des .... du fleuve Niger.

d. Ce village se trouve en .... de la forêt.

▶ **JE RETIENS**

« L'orée »

Outre les noms *berge, rive, rivage, lisière*, un autre **synonyme** de *bord* est *orée* : *à l'orée du bois, à l'orée de la ville*. On peut également l'utiliser au sens figuré : *à l'orée de l'hiver, à l'orée d'un nouveau chapitre...*

5 SUFFIXES **Retrouvez le mot à l'origine de chaque mot donné.**

Ex. : *alpage (pâturage de montagne) → alpes*

a. rivage → ....

b. paysage → ....

c. herbage → ....

d. feuillage → ....

e. branchage → ....

f. ramage → ....

g. marécage → ....

h. pâturage → ....

▶ **JE RETIENS**

Le suffixe -*age*

Il exprime le plus souvent une **action** (*tisser/tissage* ; *laver/lavage*). Il peut aussi exprimer, comme dans l'exercice, un **ensemble** d'éléments (*outils/outillage* ; *poil/pelage*) ou un **lieu** (*village, parage*).

6 SENS **Reliez chaque nom de forêt à sa définition. Aidez-vous si nécessaire d'un dictionnaire.**

jungle ●   ● forêt tropicale littorale

taïga ●   ● forêt méditerranéenne basse

mangrove ●   ● forêt arctique de conifères

maquis ●   ● forêt tropicale humide

7 **LE MOT DANS SON CONTEXTE** **Lisez ce texte puis complétez les définitions grâce aux mots en gras.**

Les enfants s'enfuirent en traversant des **buissons** si épais et si épineux qu'ils en sortirent couverts d'égratignures. Ils s'enfoncèrent alors dans la forêt. Après avoir traversé un **taillis** de petits châtaigniers, les enfants pénétrèrent dans une majestueuse **futaie** de vieux chênes, aux **frondaisons** agitées par le vent. La **cime** des arbres était si haute qu'ils ne pouvaient la voir. Quelques heures plus tard, en suivant un **sentier**, ils débouchèrent dans une belle **clairière** ensoleillée, au centre de laquelle se trouvait une étrange pierre plate.

a. forêt composée de très grands arbres : ....

b. forêt composée de petits arbres : ....

c. plantes serrées et touffues : ....

d. espace dépourvu d'arbres : ....

e. ensemble des feuilles d'un arbre : ....

f. synonyme de « sommet » : ....

g. petit chemin forestier : ....

8 **SENS** **Reclassez chaque série de l'élément le plus petit au plus grand. Aidez-vous d'un dictionnaire.**

a. arbrisseau – arbre – arbuste

....

b. bois – bosquet – forêt

....

c. fleuve – ruisseau – rivière

....

d. colline – montagne – coteau

....

9 **RÉVISION** **Complétez chaque texte à l'aide de synonymes des expressions en gras.**

a. Au milieu de ce **petit bois** (...............................) au **feuillage** (...............................) luxuriant coulait une **petite rivière** (...................................). Sur ses **bords** (..........................) se trouvait une humble chaumière, **abritée par l'ombre des arbres** (...............................).

b. Une grande tour se dressait **au bord** (..........................) de la **haute forêt** (...............................) de hêtres. Depuis son sommet, on apercevait un **trou de la forêt** (...................................) et, plus loin, après la forêt, un paysage **fait de champs** (...................................).

10 **RÉVISION** **Complétez la légende de cette image à l'aide des mots des exercices précédents.**

1. Un ....qui coule.

2. L' .... du bois.

3. Un ....bien tracé.

4. La ....d'un arbre.

5. Une ....qui jaillit.

Expression

11 **Lisez cet extrait de conte.**

Trois jours s'étaient déjà passés depuis qu'ils avaient quitté la maison paternelle. Ils continuaient à marcher, s'enfonçant toujours plus avant dans la forêt. Si personne ne leur venait en aide, ils ne tarderaient pas à mourir.

Les frères Grimm, *Hansel et Gretel*.

Imaginez la suite des aventures de ces deux enfants perdus, en utilisant le vocabulaire de la forêt.

12 **Décrivez en moins de dix lignes ce que vous voyez dans l'image suivante.**

Paysage du canton de Berne, Suisse.

J'observe et je retiens

1 OBSERVATION **Dans ce texte, entourez les mots qui appartiennent au vocabulaire de la mer.**

La tempête levée par Poséidon, le dieu des mers, faisait rage. L'océan était déchainé et le vent soufflait en rafales. Les flots inondaient le pont du navire, qui était balloté en tous sens par les vagues.

2 FAMILLE **Complétez chaque phrase par un mot de la famille de *mer*.**

a. L'Espagne a été un grand empire ....

b. Ce rocher n'est visible qu'à .... basse.

c. Jonas, Ulysse et Sinbad sont des................................. .

d. J'adore les moules ....

e. Mon père était officier dans la.................... française.

> **JE RETIENS**
>
> **Le radical *mer***
> Le mot *mer* provient du latin *mare*. Ceci explique la variation du radical (*mer/marine*). On retrouve cette racine dans les langues germaniques (*marisk*, qui a donné *marécage*) et celtiques (*mor* que l'on retrouve dans *Côtes d'Armor*).

3 LE MOT DANS SON CONTEXTE **Lisez cet extrait, puis reliez chaque mot en gras à son synonyme.**

Une vague gigantesque **déferla** sur lui. Le choc fut terrible : le radeau **chavira**, et Ulysse, lâchant le gouvernail, fut rejeté au loin. Sous l'assaut des **rafales**, le mât se brisa en deux. [...] Il resta longtemps au fond de l'eau. Vaincu par la force de la **houle**, alourdi par les vêtements que lui avait procurés Calypso, il n'arrivait pas à remonter à la surface. Après un long moment, il **émergea** enfin. Il recracha l'**onde** amère dont sa tête ruisselait.

D'après Homère, *Odyssée*.

déferler •   • eau
chavirer •   • ondulation des vagues
rafales •   • faire surface
houle •   • se jeter
émerger •   • faire naufrage
onde •   • coups de vent

4 PRÉFIXES **Complétez chaque mot à l'aide des préfixes suivants.**

im-, é-, sub-

a. Le raz-de-marée a ....mergé la côte.

b. Ce rocher est ....mergé à marée haute.

c. Il n'......merge qu'à marée basse.

d. Tu ne vois pas la partie ....mergée de l'iceberg !

e. Je suis ....mergée de travail.

> **JE RETIENS**
>
> **Le radical *merg***
> Les mots *émerger, submerger, immerger* n'appartiennent pas à la famille de *mer* mais proviennent du **verbe latin *mergo***, qui signifie *plonger*.

5 LE MOT DANS SON CONTEXTE **Complétez ce texte en utilisant les verbes suivants.**

se déchainer – se lever – s' écraser – se briser – déferler

Sinbad le marin sent le vent du Nord .... soudainement. Ce vent se met à .... en puissantes rafales. Les paisibles ondulations de la mer cèdent leur place à des rouleaux qui font tanguer le navire. Les vagues finissent par .... avec fracas contre la coque ou ....violemment sur le pont. La tempête va .... durant des heures.

> **JE RETIENS**
>
> **Les verbes liés aux vagues**
> Une vague peut *onduler, déferler, bondir, frapper, se ruer, rouler, s'écraser*, etc. Ces verbes montrent qu'elle est souvent **personnifiée**, c'est-à-dire considérée comme un être **vivant** !

6 SUFFIXES **Retrouvez l'adjectif qui correspond à chaque nom.**

a. houle (ondulation) → ....

b. écume → ....

c. tempête → ....

e. moutons (crêtes d'écume) → ....

7 LE MOT DANS SON CONTEXTE **Observez les images, lisez le court texte, puis trouvez un synonyme pour chaque expression en gras.**

Ulysse et Calypso.

Le Naufrage d'Ulysse. Gravures de Paul-Émile Colin.

Tandis que, sur la **grève**, il quitte la belle nymphe Calypso sur une fragile **embarcation**, Ulysse ne se doute pas que, quelques jours plus tard, il fera naufrage. Après **avoir sombré** dans la **tourmente**, il se retrouvera accroché à un **écueil** tandis que de hautes **lames écumeuses** menaceront de le submerger.

a. grève → ....

b. embarcation → ....

c. sombrer → faire ....

d. tourmente → ....

e. écueil → ....

f. lame écumeuse → ....

8 SENS **Reclassez chaque liste du mot le moins fort au plus fort. Aidez-vous si nécessaire d'un dictionnaire.**

a. ondulations – vagues – tsunami – rouleaux

....

b. onduler – clapoter – s'agiter – bouillonner

....

c. (mer) d'huile – démontée – moutonneuse

....

d. vent – tornade – bourrasque – brise

....

e. agitation – calme plat – déferlement

....

9 SENS **Reclassez chaque verbe dans la liste de synonymes qui convient.**

mollit – grossit – s'apaise – se soulève

a. La mer s'agite – .... – ....

b. La tempête se calme – .... – ....

10 RÉVISION **Trouvez un synonyme pour chacune des expressions suivantes. Utilisez les exercices précédents.**

a. une mer plate → ....

b. une mer très forte → ....

c. de fortes rafales → ....

d. le mouvement des vagues → ....

e. une tempête → ....

11 RÉVISION **Complétez cet extrait de la Bible par des synonymes des mots et expressions en gras.**

Yahvé lança **un vent violent** (...),
et il y eut grande tempête sur la mer, au point que le navire menaçait de **se briser** (...).
Les marins dirent à Jonas : « Que devons-nous faire de toi pour que la mer **s'apaise** (...............................) ? »
La mer **se soulevait** (...............................) de plus en plus.
Il leur répondit : « Jetez-moi à **la mer** (...........................)
et elle s'apaisera, car c'est à cause de moi que cette violente **tourmente** (...............................) vous assaille. »

Expression

12 **Imaginez le discours que le dieu grec de l'océan, Poséidon, pourrait faire à la mer pour déchaîner une tempête sur des marins imprévoyants. Utilisez le vocabulaire de la mer ainsi que le présent de l'impératif.**

13 **Imaginez une autre aventure de Sinbad le marin. Pour cela, racontez son départ d'un port paisible, la tempête qu'il affronte et l'aventure qu'il traverse. Votre récit devra suivre les étapes du schéma narratif.**

J'observe et je retiens

1 **OBSERVATION** Entourez dans ce texte les mots du vocabulaire du climat ou de l'humidité.

Jupiter […] enferme dans les antres d'Éole l'Aquilon et tous les vents qui chassent les nuages amoncelés et il déchaîne le Notus. Le Notus aux ailes humides prend son envol […] ; sa barbe est chargée de brouillards ; l'eau coule de ses cheveux blancs ; sur son front siègent des vapeurs ; ses ailes ruissellent. À peine a-t-il pressé de sa large main les nuages suspendus qu'éclate un grand fracas ; puis d'épaisses nuées se déchargent du haut des airs.

Ovide, *Métamorphoses*.

▶ **JE RETIENS**

Les vents dans l'Antiquité
Les Grecs et les Romains représentaient les vents comme des **divinités ailées** dirigées par le dieu **Éole** :
– **Borée** (**Aquilon** à Rome), l'hivernal vent du Nord ;
– **Zéphyr**, le doux et printanier vent d'Ouest ;
– **Euros**, le vent d'Est ;
– **Notos** (**Notus** à Rome), le vent du Sud et des tempêtes, dont nous parle le texte précédent.

2 **SYNONYMES** Reliez chaque nom à son synonyme à l'aide de l'exercice 1 et d'un dictionnaire.

rafales ●   ● zéphyr
nuages ●   ● brume
brise ●   ● bourrasques
brouillard ●   ● ondée
averse ●   ● nuées
gelée ●   ● givre

▶ **JE RETIENS**

Indiquer l'intensité de la pluie
S'il pleut beaucoup, on dit qu'il pleut *à verse*, *à torrents*, *des cordes* ou *des hallebardes*. On parle également de *trombes* d'eau ou de *déluge*. Une averse plus courte et plus faible est appelée *ondée* ou *giboulée*. En mer, on l'appelle un *grain*. Plus techniquement, elle sera appelée *précipitations* ou *intempéries*.

3 **ANTONYMES** Reliez chaque adjectif à son contraire. Chacun d'eux qualifie le climat ou le temps.

sec ●   ● pluvieux
ensoleillé ●   ● gris
clair ●   ● frais
doux ●   ● froid
chaud ●   ● glacial
torride ●   ● humide

4 **SUFFIXES** Retrouvez le nom commun qui correspond à chaque verbe ou adjectif. Pour cela, ajoutez les suffixes suivants.

-ement, -ie, -ation

a. Le temps se **dégrade**, c'est une dégrad.......................
b. Le beau temps se **perturbe** et le ciel se couvre, c'est une perturb....................... .
c. La tempête se **calme**, c'est une accalm.......................
d. La météo est plus **belle**, c'est une embell...................
e. Le temps devient plus **clair**, c'est une éclairc..............
f. La présence d'une certaine couche de **neige** sur le sol, c'est l'enneig........................... .
g. La présence du **soleil** ou sa fréquence sur un lieu précis, c'est l'ensoleill........................... .

5 **FAMILLE** Indiquez l'adjectif et le verbe de même famille que chaque nom. Utilisez des préfixes et des suffixes.

nom	adjectif	verbe
givre	givré, givrant	givrer
brume	brum...........................	........brum...........
bruine	bruin...........................	bruin................
neige	neig............ *ou* ....neig......	neig................
pluie	pluv...........................	pleu................
glace	glac......... ou glac......	glac...................

▶ **JE RETIENS**

La bruine
Cette petite pluie, fine et froide, dont le synonyme est *crachin*, est la cause d'un débat entre spécialistes de l'étymologie : certains pensent que ce mot provient du **celtique**, d'autres du **latin**.

Je m'exerce

6 SENS **Complétez chaque définition à l'aide d'un des noms suivants. Aidez-vous d'un dictionnaire.**

cyclone – trombe – tornade – ouragan – typhon

a. Cyclone des mers de Chine et de l'océan Indien : ....

b. Forte perturbation atmosphérique caractérisée par sa rotation et formée sur l'océan : ....

c. Cyclone de l'Atlantique Nord et de la mer des Caraïbes : ....

d. Tourbillon de vents très violents mais très localisés sur le continent : ....

e. Équivalent marin des tornades : ....

7 SUFFIXES **Transformez chaque mot en gras en adjectif. Utilisez les suffixes suivants.**

-ien(ne), -iel(le), -ant(e), -aire

a. une pluie qui évoque un **torrent** : *torrent........................*

b. une pluie qui évoque le **déluge** : *diluv........................*

c. un brouillard qui apporte le **givre** : *givr........................*

d. un blizzard qui **cingle** le paysage : *cingl........................*

e. une chaleur qui **étouffe** : *étouff........................*

f. une température de **canicule** : *canicul........................*

8 SYNONYMES **Entourez l'intrus dans chacune de ces listes de synonymes.**

a. pluie – frimas – froid – froidure

b. chaleur – sécheresse – canicule – printemps

c. ardent – pâle – de plomb – brûlant

d. apaisement – accalmie – agitation – embellie

e. beau – doux – pluvieux – clément

9 SYNONYMES **Replacez les verbes suivants dans chaque liste de synonymes. Aidez-vous du sens propre (concret) des verbes.**

forcit – mollit – tombe – hurle – murmure – rugit – se lève

a. Le vent commence à souffler – il ....

– il ....

b. Le vent souffle avec douceur – il ....

c. Le vent souffle avec force – il ....

– il ....

d. Le vent souffle moins fort – il ....

– il ....

10 SENS **Reclassez ces noms du vent le plus doux au plus fort.**

tempête – rafale – brise – souffle – tornade

.... – .... – ....

.... – ....

11 RÉVISION **Complétez ces phrases à l'aide des mots suivants.**

dévasté – battu – bourrasques – cyclone – abattue – clément – calmé – canicule

a. Le .... Katrina a .... La Nouvelle-Orléans.

b. Ce lieu très venté est sans cesse .... par de violentes ....

c. Les records de chaleur montrent que la .... s'est .... sur le pays.

d. Sortons ! Le vent s'est .... et le ciel est plus ....

12 RÉVISION **Complétez le texte à l'aide des mots suivants.**

mollit – se dégrade – torrentielle – cinglant – rafales – accalmie – intempéries

Le sorcier du clan fit cette prédiction aux chasseurs de mammouths : « Ne sortez pas ! Le temps .... Vous allez affronter le blizzard .... qui soufflera en .... , la pluie .... détrempera vos fourrures ! Attendez demain, une .... est proche. Je sens déjà les .... qui s'éloignent et le vent qui .... »

Expression

13 **Écrivez le bulletin météorologique d'une chaîne télévisée pour les trois prochains jours. Utilisez les mots des exercices précédents.**

14 **Imaginez que vous vous trouvez au pôle Nord en plein hiver : écrivez une lettre à un proche où vous raconterez avec précision les intempéries que vous affrontez. Utilisez le vocabulaire du climat.**

J'observe et je retiens

1 OBSERVATION Entourez dans ce texte les mots qui appartiennent au vocabulaire de la peur et de ses manifestations physiques.

Si son père lui demandait d'aller chercher quelque chose […] et que le chemin passât par le cimetière ou quelque autre lieu horrifiant, il répondait : « Oh, non, père, je n'irai pas, ça me fait peur », car il était effectivement peureux. Quand, à la veillée, on racontait des histoires à donner la chair de poule, ceux qui les entendaient disaient parfois : « Ça me donne le frisson ! »…

Les frères Grimm, *De celui qui partit en quête de la peur*.

2 ANTONYMES Reliez chaque nom à son contraire.

amour ●   ● angoisse
joie ●   ● égoïsme
générosité ●   ● haine
sérénité ●   ● honte
fierté ●   ● chagrin

> **JE RETIENS**
> **Les émotions**
> Le mot *émotion* a la même origine que le mot *mouvement* : c'est en effet un **changement d'état** à la suite d'un événement (joie, tristesse, dégout, peur, colère…). Un **sentiment**, lui, est plus **durable**.

3 SUFFIXES Transformez chaque nom en gras en adjectif. Pour cela, ajoutez un suffixe ou modifiez-le.

a. qui ressent de l'**effroi** → ....
b. qui connaît une **déception** → ....
c. qui est en proie à la **colère** → ....
d. qui a **honte** → ....
e. qui a de la **rancune** → ....
f. qui ressent de la **terreur** → ....
g. qui a de l'**admiration** → ....
h. qui éprouve de l'**anxiété** → ....

> **JE RETIENS**
> **La rancune**
> **Avoir de la rancune** ou **garder rancune**, c'est garder un **ressentiment** après une offense, avec un désir de **vengeance**. On utilise aussi l'expression familière « *avoir une dent contre quelqu'un* ».

4 LE MOT DANS SON CONTEXTE Lisez ce texte, puis replacez chaque mot en gras face à son contraire.

Nous avons fait preuve de **générosité** à son égard, nous l'avons aidée et elle ne nous remercie même pas : quelle **ingratitude** ! Mais il y a pire : pleine d'**hypocrisie**, elle nie le fait que nous l'ayons aidée ! Elle est devenue très **antipathique**. Quelle **déception** !

a. sympathique : ....
b. reconnaissance : ....
c. satisfaction : ....
d. sincérité : ....
e. égoïsme : ....

> **JE RETIENS**
> **La sympathie**
> Ce mot signifie en grec « **souffrance** (*pathos*) **partagée** (*syn-*) ». Son équivalent d'origine latine est le mot *compassion*. On retrouve cette racine dans *pathologie, psychopathe*…

5 SUFFIXES Transformez chaque adjectif en nom commun. Pour cela, supprimez le suffixe ou modifiez-le.

a. affectueux → ....
b. mécontent → ....
c. satisfait → ....
d. passionné → ....
e. émotif → ....
f. peureux → ....
g. apaisé → ....

> **JE RETIENS**
> ***Affectueux, affectif, affecté ?***
> On est **affectueux** quand on montre son affection à quelqu'un, **affectif** quand on est sensible, **affecté** quand un évènement nous attriste.

6 **SUFFIXES** Transformez chaque verbe en adjectif formé sur le participe présent.

Ex. : qui charme → charmant

a. qui **effraie** → ....

b. qui **terrifie** → ....

c. qui **apaise** → ....

d. qui **passionne** → ....

e. qui **dégoute** → ....

f. qui **satisfait** → ....

g. qui **afflige** → ....

7 **FAMILLE** Complétez le tableau avec des adjectifs de même famille que le nom en gras.

nom du sentiment	adjectif 1 (celui qui agit)	adjectif 2 (celui qui subit)
horreur	*horrifiant*	*horrifié*
calme	....	....
énervement	....	....
ennui	....	....

8 **SYNONYMES** Reclassez chaque mot dans la liste qui convient. Aidez-vous si nécessaire d'un dictionnaire.

apaisement – terreur – chagrin – fureur – sérénité – rage – affliction – effroi – courroux – paix – désespoir – anxiété

a. colère : .... – .... – ....

b. peine : .... – .... – ....

c. calme : .... – .... – ....

d. peur : .... – .... – ....

9 **LE MOT DANS SON CONTEXTE** Lisez le texte suivant, puis replacez chaque mot en gras après la définition qui lui convient.

Depuis la mort de la reine, le roi avait sombré dans une profonde **mélancolie**. Il ne mangeait plus, ne sortait plus de sa chambre et vivait dans la **nostalgie** perpétuelle de ses années heureuses, quand, encore jeune et beau, il enchantait la cour de son **enjouement**. Désormais il n'avait plus qu'**aversion** pour les jeux, les bals et les plaisirs.

a. répugnance et dégout : ....

b. gaieté et bonne humeur : ....

c. tristesse et abattement : ....

d. regret du passé : ....

10 **SENS** Reclassez chaque liste de sentiments, de l'élément le plus faible au plus fort. Aidez-vous du nom déjà placé et, si nécessaire, d'un dictionnaire.

a. *amour – passion – sympathie – affection*

→ sympathie – .... – .... – ....

b. *bonheur – extase – contentement – joie – plaisir*

→ .... – plaisir – .... – .... – ....

c. *fureur – colère – mécontentement – irritation – exaspération*

→ .... – .... – .... – colère – ....

d. *tristesse – désespoir – peine – chagrin*

→ peine – .... – .... – ....

e. *effroi – peur – inquiétude – terreur – angoisse*

→ .... – .... – angoisse – .... – ....

f. *haine – antipathie – ressentiment – hostilité*

→ .... – .... – hostilité – ....

11 **RÉVISION** Replacez chacun des mots suivants après son synonyme dans ces deux extraits.

enjoués – fureur – envie – frayeur – fut effrayée – s'apaisa – bienveillants

a. Quand Blanche-Neige [...] vit les sept nains, elle **eut** d'abord **peur** (...). Mais ils étaient si **doux** (...) et si **souriants** (...........................) qu'elle **se rassura** (...................................) bientôt.

b. À ces mots, la reine entra dans une violente **colère** (...................................). [...] Puis elle ne put s'opposer au **désir** (...................................) de voir cette jeune princesse qui était si belle. Quand elle reconnut Blanche-Neige [...] sa **crainte** (...................................) l'empêcha de bouger.

Les frères Grimm, *Blanche-Neige.*

Expression

13 Racontez la visite d'un musée selon deux points de vue : l'un des personnages s'est beaucoup ennuyé, l'autre a adoré. Utilisez le vocabulaire des émotions.

18 Les émotions et les sentiments : verbes et expressions

J'observe et je retiens

1 OBSERVATION Entourez les groupes verbaux qui appartiennent au vocabulaire de l'émotion.

avoir faim – éprouver du chagrin – ressentir de la colère – s'émouvoir – être fatigué – perdre patience – rester immobile

2 LE MOT DANS SON CONTEXTE Complétez chaque phrase à l'aide des verbes suivants.

ressentir – connaitre – être en proie à – éprouver

a. J'..........................une vraie sympathie pour Vanessa.

b. Quel comédien ne ....pas le trac ?

c. Il .... une certaine gêne à déranger sa directrice.

d. Achille................................la fureur à la mort de son ami Patrocle.

e. Le prince .... mille tourments avant d'atteindre son but.

> **JE RETIENS**
> **Les verbes de sentiment**
> On les emploie pour éviter le verbe *avoir* : *être en proie à...*, *endurer* (pour des sentiments négatifs), *éprouver*, *ressentir*, *sentir* (plus neutres).

3 SENS Reconstituez chaque expression à l'aide des éléments suivants. Aidez-vous si nécessaire d'un dictionnaire, en cherchant le sens des mots en gras.

trente-six – cinquième – quatre – cent-sept – trente-sixième – septième

a. être au .... **dessous**
(déprimer ou subir un échec)

b. voir .... **chandelles**
(être étourdi(e) par un coup)

c. être la .... **roue** du carrosse
(se sentir inutile ou de trop)

d. être au .... **ciel**
(être dans un bonheur parfait)

e. se saigner aux .... **veines**
(se priver au profit d'autrui)

f. attendre .... **ans**
(patienter très longtemps)

> **JE RETIENS**
> **Les expressions imagées**
> Elles remplacent les verbes de sentiment et s'appuient sur le **sens figuré**. Beaucoup se fondent sur des **précisions numériques** et sur l'**exagération** : *se mettre en quatre, ne pas y aller par quatre chemins, faire les quatre-cents coups, endurer mille morts...*

4 CULTURE Complétez chaque expression par le groupe nominal qui convient.

un coq – une teigne – les pierres – un pape – une image – un poisson dans l'eau – une puce – une mule

a. être malheureux comme ....

b. être à l'aise comme ....

c. être heureux comme ....

d. être mauvais comme ....

e. être sage comme ....

f. être têtu comme ....

g. être excité comme ....

h. être fier comme ....

5 CULTURE Complétez chaque définition à l'aide de l'adjectif de couleur qui convient.

vert – bleu – rouge

a. .... de colère

b. .... de rage

c. .... de peur

d. .... de jalousie

e. .... de froid

c. .... de honte

> **JE RETIENS**
> **« Fier comme Artaban »**
> Cette expression provient du succès de *Cléopâtre*, un très long roman historique écrit au XVIIe siècle par Gautier de La Calprenède. L'un des personnages, Artaban, était un individu **fier et arrogant**.

6 SENS **Reliez chaque expression à sa signification. Aidez-vous si nécessaire d'un dictionnaire, en cherchant le sens des mots en gras.**

avoir une **dent**
contre quelqu'un •

se faire
du mauvais **sang** •

rester **bouche
bée** •

avoir les **crocs** •

monter sur ses
grands **chevaux** •

garder son sang
froid •

• s'inquiéter

• avoir très faim

• garder rancune

• s'énerver
très vite

• rester maître
de soi

• rester muet(te)
d'émotion

7 LE MOT DANS SON CONTEXTE **Lisez ces textes puis reliez chaque verbe à son synonyme plus usuel.**

a. Yahvé vit que la méchanceté et les mauvaises intentions des hommes étaient grandes. Il **se repentit** d'avoir créé l'homme sur la terre et **s'affligea**.

La Bible, « Genèse ».

b. Fou de rage, saisissant son épée, Achille **délibéra** en son cœur : devait-il écarter la foule et tuer Agamemnon, ou bien **apaiser** sa colère et **réfréner** sa fureur ?

Homère, *Iliade*.

se repentir •

s'affliger •

délibérer •

apaiser •

réfréner •

• calmer

• réfléchir

• éprouver du chagrin

• contenir, retenir

• regretter

8 SUFFIXES **Transformez en verbe chaque adjectif en gras. Aidez-vous des phrases proposées.**

*Ex. : Ressentir des **regrets** → regretter*

a. Être **jaloux** de quelqu'un

→ ....

b. Ressentir de l'**émerveillement** pour quelque chose

→ s'...................................

c. Avoir du **mépris** pour quelqu'un

→ ....

d. Éprouver de l'**affection** pour quelque chose

→ ....

e. Ressentir de la **jubilation** (joie) face à quelque chose

→ ....

f. Garder le contrôle et la **maitrise** de soi

→ se...................................

g. Garder l'**espoir** en l'avenir

→ ....

9 RÉVISION **Reliez chaque verbe ou expression à son antonyme.**

adorer •

décevoir •

être aux anges •

admirer •

être gêné(e) •

être émotif/émotive •

• être déprimé(e)

• avoir de l'assurance

• haïr

• mépriser

• dominer ses émotions

• combler

10 RÉVISION **Reliez chaque verbe à son contraire.**

jubiler •

se maitriser •

mépriser •

endurer •

• estimer

• s'affliger

• profiter

• perdre son sang-froid

Expression

11 **Choisissez cinq expressions dans les exercices 3 et 6 et employez chacune d'elles dans une phrase qui la fasse comprendre à vos camarades.**

12 **Imaginez que ce monstre sorte brutalement du placard d'une fillette nommée Judith. Vous raconterez la même scène trois fois, en quelques lignes :**
– d'abord en imaginant que Judith prend peur ;
– ensuite en montrant qu'elle est émerveillée par le monstre ;
– enfin en racontant qu'elle reste calme puis se moque de lui.
Vous utiliserez le vocabulaire des émotions et des sentiments.

« Sulli »,
de *Monstres et Cie*,
film de Pete Docter,
David Silverman
et Lee Unkrich,
2001.

19 Les sensations et les perceptions : la vue, l'ouïe, le toucher

J'observe et je retiens

1 **OBSERVATION** Reclassez chaque adjectif selon le sens dont il relève. Aidez-vous d'un dictionnaire.

magnifique – épicé – mou – savoureux – assourdissant – pestilentiel – perçant – parfumé – panoramique – rêche

a. vue : .... – ....

b. odorat : .... – ....

c. goût : .... – ....

d. ouïe : .... – ....

e. toucher : .... – ....

▶ JE RETIENS

Sens, sensation, perception

Une sensation est **un état ou une réaction** souvent provoqués par un phénomène extérieur, perçu par l'un des cinq sens. Elle peut être **gustative** (gout), **olfactive** (odorat), **tactile** (toucher), **visuelle** (vue), **auditive** (ouïe). On parle de **perception** quand aucune émotion n'intervient.

2 **SYNONYMES** Reliez chaque verbe à son synonyme. Aidez-vous si nécessaire d'un dictionnaire.

être fasciné ●   ● épier

admirer ●   ● scruter

remarquer ●   ● être hypnotisé

espionner ●   ● constater

observer ●   ● contempler

▶ JE RETIENS

Les verbes de vision

Au lieu d'utiliser *regarder* ou *voir*, on peut employer des verbes qui **précisent la manière** de voir :
– avec **attention** : *guetter, examiner, dévisager, scruter, surveiller...*
– avec **discrétion** : *épier, lorgner...*
– avec **émerveillement** : *contempler, dévorer des yeux ou du regard...*
– avec **surprise** : *découvrir, sauter aux yeux...*

3 **SUFFIXES** Transformez chaque verbe en nom commun.

a. contempler → ....

b. fasciner → ....

c. découvrir → ....

d. surveiller → ....

4 **SUFFIXES** Transformez chaque nom en gras en adjectif qualifiant la texture d'un aliment. Utilisez les suffixes *-eux* et *-ant*.

> **Ex. :** *comme de la craie* → *crayeux*

a. comme du **plâtre** → ....

b. comme de la **farine** → ....

c. comme de la **pâte** → ....

d. comme de l'**huile** → ....

e. comme de la **poix** (résine) → ....

f. comme de la **colle** → ....

g. comme de la **glu** → ....

5 **SYNONYMES** Reclassez chaque adjectif dans la liste qui convient. Aidez-vous si nécessaire d'un dictionnaire.

doux – rugueux – poli – rêche

a. râpeux – .... – ....

b. lisse – .... – ....

▶ JE RETIENS

La texture

C'est **l'aspect et la consistance** d'un produit, qui peut être *fondant, friable, lisse, moelleux, onctueux, granuleux.* L'adjectif *visqueux* provient du **gui** (*viscum* en latin) avec lequel on fabriquait la glu !

6 **SYNONYMES** Dans chaque liste, entourez l'intrus qui ne peut pas désigner une perception auditive.

a. entendre – sentir – épier – percevoir

b. saisir – boire les paroles – ouïr – dévorer

c. tendre l'oreille – écouter – voir – suivre

▶ JE RETIENS

Le verbe *entendre*

Ce verbe peut être remplacé par *écouter, ouïr, tendre l'oreille* et d'autres **verbes de perception** : *percevoir, saisir, discerner, distinguer, épier,* etc.

7 LE MOT DANS SON CONTEXTE **Entourez les noms qui désignent un bruit fort ou désagréable. Aidez-vous si nécessaire d'un dictionnaire.**

1. Le **murmure** du vent dans les arbres
2. Le **brouhaha** d'une classe agitée
3. La **cacophonie** d'un orchestre mal accordé
4. Le léger **clapotis** de l'eau
5. Le **fracas** de la vaisselle cassée
6. La **douce mélodie** d'une chanteuse de talent
7. Le **tapage** des voisins qui font une fête
8. La **clameur** de la foule paniquée
9. La **voix cristalline** de cette célèbre cantatrice
10. Le **vacarme** de la cour de récréation
11. Le **mélodieux chant** des baleines
12. Le **tintamarre** des flûtes à bec peu maîtrisées

8 SUFFIXES **Transformez chaque verbe en gras en nom désignant un son.**

Ex. : Le tambour roule. → un roulement

a. Un loup **hurle**. → ....
b. Un ours **grogne**. → ....
c. Une porte **grince**. → ....
d. Un malade **gémit**. → ....
e. Des feuilles **frémissent**. → ....
f. Des élèves **chuchotent**. → ....

9 SENS **Complétez chaque phrase à l'aide des adjectifs suivants.**

mélodieux – assourdissant – perçant – strident – étouffé – harmonieux – léger – aigu

a. Je n'entends rien : le bruit .... de l'ambulance m'en empêche.
b. Je déteste la sonnerie .... du réveil le matin.
c. Le faucon pèlerin pousse un cri ....
d. « Maman n'est pas là » m'a répondu l'enfant d'une petite voix ....
e. Avec le double vitrage, il n'entend plus qu'un bruit .... de circulation.
f. Le tigre est à l'affût du plus .... bruit.
g. Les cours qu'elle a suivis ont rendu son chant .... et ....

10 SUFFIXES **Transformez chaque nom en gras en adjectif quantifiant la douceur d'un objet. Utilisez les suffixes -eux ou -é.**

Ex. : comme du velours → velouté

a. comme du **duvet** → ....
b. comme de la **soie** → ....
c. comme du **coton** → ....
d. comme du **satin** → ....
e. comme de la **poudre** → ....
f. comme de la **ouate** (coton) → ....

11 SENS **Replacez chaque verbe dans la liste qui convient. Aidez-vous si nécessaire d'un dictionnaire.**

tâter – frotter – cogner – heurter – caresser – câliner – effleurer – tâtonner – tripoter – frôler

a. avec brutalité → .... – ....
b. avec douceur → .... – ....
c. avec insistance → .... – ....
d. avec hésitation → .... – ....
e. avec légèreté → .... – ....

12 RÉVISION **Remplacez les verbes *voir* ou *regarder* par l'un des synonymes suivants.**

examina – fut fasciné par – constata – distingua – aperçut – découvrit – contempla

a. Dans l'obscurité, il **vit** (.....................................) soudain une petite lumière qui scintillait.
b. En s'approchant, il **vit** (.....................................) une petite cage dans laquelle se trouvait un être étrange.
c. Il fit un pas et **vit avec précision** (.....................................) ce qu'elle contenait : une fée !
d. Il **regarda avec admiration** (.....................................) cette créature si délicate.
e. Pendant plusieurs minutes, il **regarda sans détourner les yeux** (.....................................) la petite fée.
f. Par la suite, il **regarda avec attention** (.....................................) ses ailes colorées.
g. Il **vit** (.....................................) que l'une était cassée.

13 RÉVISION **Complétez chaque groupe nominal à l'aide de l'adjectif qui convient. Aidez-vous si nécessaire d'un dictionnaire.**

rêche – moelleux – veloutée – savonneux – soyeux – rugueuse – huileux – douce

a. un coussin tendre et ....
b. des cheveux doux et ....
c. des cheveux sales et ....
d. un tronc d'arbre noueux et ....
e. une peau sèche et ....
f. une peau hydratée et ....
g. un goût désagréable et ....
h. une crème douce et ....

Expression

14 **Racontez l'émerveillement d'un héros à son arrivée au royaume des fées. Utilisez le vocabulaire des sens.**

20 Les sensations et les perceptions : l'odorat et le gout

1 OBSERVATION Dans ce texte, entourez les mots qui donnent des précisions sur la soupe.

Belle soupe, si onctueuse et si verte,
Qui reposes, brulante, en la soupière ouverte,
Que ne donnerait-on pour avoir l'avantage
De te savourer, cher délicieux potage !

Lewis Carroll, *Alice au pays des merveilles.*

2 LE MOT DANS SON CONTEXTE Lisez ce texte, puis reclassez les verbes en gras en fonction du sens qu'ils évoquent.

Baba Yaga la sorcière **savourait** un bouillon aux yeux, dont le délicieux parfum **embaumait**, selon elle, toute la pièce. Soudain, sa nièce entra sans frapper et se pinça le nez : « Pouah ! Qu'est-ce qui **empeste** comme ça ? Comment peux-tu **déguster** ça ? »

a. goût : .... – ....

b. odorat : .... – ....

▷ **JE RETIENS**

Les verbes *manger* et *gouter*

Ils peuvent être remplacés par *savourer, déguster, se délecter de* (quand on mange avec lenteur et plaisir) ou *croquer, dévorer, ingurgiter* (quand on mange avec rapidité et appétit).

3 LE MOT DANS SON CONTEXTE Lisez ce texte puis complétez chaque liste avec les verbes en gras.

Les premiers jours, un bouquet de fleurs **embaume**. Les fleurs **parfument** l'atmosphère. Mais très vite, elles peuvent **empester** et **empuantir** l'air d'une pièce.

a. parfum agréable

→ exhaler – .... – ....

a. parfum désagréable

→ infester – .... – ....

▷ **JE RETIENS**

Le verbe *sentir*

Il signifie à la fois **dégager une odeur** et **la percevoir**. Lorsqu'on perçoit une odeur, on peut la *flairer,* l'*humer,* la *respirer,* la *renifler.* Si l'odeur dégagée est agréable, on dit qu'elle *embaume, parfume, exhale, envoûte, enivre, captive, fleure bon...* Si l'odeur dégagée est désagréable, elle *empuantit, infecte, empeste, incommode, repousse, répugne...*

4 SUFFIXES Transformez chaque nom en gras en adjectif qualifiant le goût d'un aliment. Utilisez les suffixes *-eux* ou *-é*.

Ex. : *qui contient du **sucre** → sucré*

a. qui contient des **épices** → ....

b. qui évoque un **fruit** → ....

c. qui rappelle le **citron** → ....

d. qui contient du **poivre** → ....

e. qui contient du **piment** → ....

f. qui a un goût de **terre** → ....

g. qui a beaucoup de **gout** → ....

h. qui a beaucoup de **jus** → ....

i. qui contient beaucoup de **crème** → ....

j. qui a l'aspect ou le goût de la **farine** → ....

▷ **JE RETIENS**

Les saveurs

En occident, il y a **quatre saveurs** : le **sucré**, le **salé**, l'**amer** et l'**acide**. Mais il s'agit plus de culture que de science : en Asie, il y en a cinq !

5 LE MOT DANS SON CONTEXTE Lisez ces phrases puis reclassez chaque adjectif en gras selon leur sens.

a. Cette boisson **insipide** est sans intérêt, presque aussi **neutre** que de l'eau !

b. **Relevé** par un peu de curry, ton velouté sera meilleur, sans être trop **épicé**.

c. Je trouve ce thé un peu trop **douçâtre**. À quoi est-il censé être **parfumé** ?

d. C'était **fade** mais, à trop ajouter du poivre, c'est désormais trop **assaisonné**.

sans saveur, sans goût	qui a beaucoup de saveur
....	....
....	....
....	....
....	....

6 FAMILLE Transformez chaque nom en verbe. Pour cela, modifiez le suffixe et rajoutez si nécessaire le pronom *se*.

a. dégustation → ....

b. appréciation → ....

c. régal → ....

d. saveur → ....

e. délectation → ....

f. gavage → ....

7 SUFFIXES Transformez chaque verbe en gras en adjectif qualifiant une odeur ou une saveur. Utilisez les suffixes suivants.

-able, -ant, -eux, -eur

a. qui m'**envoute** → ....

b. qui me **répugne** → ....

c. que je **savoure** → ....

d. qui me **dégoute** → ....

e. qui m'**enchante** → ....

f. qui m'**incommode** → ....

g. dont je me **délecte** → ....

h. qui me **captive** → ....

i. qui m'**insupporte** → ....

j. qui m'**agrée** → ....

8 LE MOT DANS SON CONTEXTE Lisez ces phrases, puis reclassez les adjectifs en gras selon leur sens.

a. Un fruit pourri dégage une odeur **écœurante** mais le chocolat a une odeur **réconfortante**.

b. Ce bouquet a un parfum **suave**, mais une fois fané, son odeur sera **incommodante**.

c. La poubelle dégage une odeur **nauséabonde**. Tu n'aurais pas du désodorisant **parfumé** ?

d. Alors que les ingrédients avaient un parfum **délicat**, sa soupe dégage une fumée **abominable**.

e. L'odeur **pestilentielle** des marécages incommode la fée, habituée à des odeurs plus **légères**.

f. La senteur la plus **exquise** ne suffirait pas à parfumer cette cave **malodorante**.

odeur agréable	odeur désagréable
....	....
....	....
....	....
....	....
....	....
....	....

9 SYNONYMES Replacez chaque nom après son synonyme. Aidez-vous des expressions données.

émanation – parfum – pestilence – relent

a. La **puanteur** d'un ogre qui ne s'est jamais lavé.

→ ....

b. L'**exhalaison** toxique d'une cheminée d'usine.

→ ....

c. Le vent qui apporte un **remugle** absolument ignoble.

→ ....

d. La **fragrance** inoubliable d'une eau de toilette.

→ ....

10 RÉVISION Entourez les intrus dans les trois listes suivantes.

a. Ce parfum me captive – m'agresse – m'enivre.

b. Cette odeur m'envoûte – m'irrite – m'incommode.

c. Cette puanteur me répugne – me séduit – me rebute.

11 RÉVISION Complétez chaque phrase à l'aide d'un synonyme du verbe *sentir*. Variez les verbes.

a. Avec ce produit, le drap .... bon le muguet.

b. Le chat .... l'odeur d'un rat.

c. Cette pièce .... le renfermé.

d. Le chèvrefeuille du balcon .... la pièce.

e. Le soir, le jasmin .... un parfum sucré.

Expression

12 Racontez à la 1re personne les actions effectuées et les sensations ressenties face à cette appétissante salade de fruits (vue, gout, etc.).

13 Choisissez trois aliments que vous aimez et trois aliments que vous détestez. Expliquez pourquoi avec le vocabulaire des sensations et des perceptions.

Le corps et les mouvements : les verbes de mouvement

J'observe et je retiens

1 OBSERVATION

Mosaïque romaine du IVᵉ siècle, galerie Borghèse, Rome.

Observez l'image puis complétez le texte grâce aux verbes suivants.

fléchit – se jette – atteint – brandit – se dresse – empoigne

Sur la mosaïque, le fauve .... sur ses pattes arrière, ... sur le gladiateur et l'.................................... presque de ses griffes. Le gladiateur .... ses jambes, ... sa lance et la .... devant lui pour se protéger.

▶ JE RETIENS

Les verbes de mouvement
Très nombreux et très précis, ils peuvent indiquer :
– la **marche** : *marcher, cheminer, trottiner, arpenter, courir, déambuler...* ;
– le **mouvement vers le haut** : *sauter, se hausser, se hisser, gravir, grimper, bondir, s'envoler, surgir, émerger...* ;
– le **mouvement vers le bas** : *tomber, se courber, s'incliner, s'affaisser, dégringoler, dévaler, plonger, fondre sur...* ;
– le **changement de direction** : *faire demi-tour, faire volte-face, retourner, rebrousser chemin, virer, virevolter, pivoter, reculer, aller à reculons, obliquer, bifurquer, dévier...*

2 PRÉFIXES Complétez chaque radical par l'un des préfixes suivants pour reconstituer des verbes dérivés de *courir*.
par-, re-, ac-, con-.

a. Les super-héros ....**courent** toujours pour sauver les innocents d'un danger.

b. Elles ont dû ....**courir** à la force.

c. Cette blessure va empêcher l'athlète de ....**courir** aux jeux Olympiques.

d. L'explorateur a ....**couru** les étendues glacées de la banquise.

3 FAMILLE Formez des verbes en ajoutant un préfixe et/ou un suffixe aux radicaux indiqués en gras.

a. Tu dois mieux ....**poign**........ ta raquette.

b. Il s'......**genou**.......... devant l'empereur.

c. Il vient d'........**front**....... dix adversaires.

d. Viens ici que je t'........**bras**........ !

e. Les danseurs se ....**hanchent** en rythme.

f. Le Pont des Arts ....**jambe** la Seine.

g. Le navire s'......**ventre** contre les rochers.

▶ JE RETIENS

Les verbes dérivés
Les **parties du corps** et les **organes** servent souvent à former des verbes et des adjectifs. Ainsi, on peut être **é**nervé (agacé, du mot *nerf*), **é**reinté (fatigué), esto**maqué** (surpris), a**dos**sé ou ac**coud**é (appuyé) et s'**époumon**er (crier) .

4 CULTURE Replacez chaque verbe dans les phrases suivantes pour reconstituer les expressions contenant le mot *corps*.

lutte – pleure – se jette – prend – fait – se dévoue

a. Bilel............................toutes les larmes de son corps.

b. Peu à peu, ce projet .... corps.

c. Il................................. à corps perdu dans la bataille.

d. Hercule.................... corps à corps avec ses ennemis.

e. Le groupe .... corps face à l'adversité.

f. Le député .... corps et âme à ses électeurs.

▶ JE RETIENS

Le mot *corps*
Il prend un *-s au singulier*, conformément à son **étymologie latine** : *corpus*. On l'écrivait « cors » au Moyen Âge, mais le *-p* muet a été rétabli au XVIIᵉ siècle, pour rappeler son origine latine.

5 SYNONYMES Complétez le texte à l'aide des verbes synonymes suivants. Aidez-vous si nécessaire d'un dictionnaire.

se dresse – gravit – s'incline – virevolte – arpente

a. À la cour, pour faire une révérence, on **se penche** (.................................) en avant en signe de respect.

b. Louis **escalade** (.............................) la falaise.

c. La danseuse **tourne** (.............................) dans les airs.

d. Le château **est construit** (.....................................) sur un piton rocheux face à l'océan.

e. Le héros **parcourt** (.................................) de nombreuses routes avant d'atteindre son but.

6 LE MOT DANS SON CONTEXTE Lisez ce texte, puis donnez un synonyme de chaque verbe en gras.

Quand elle entendit frapper, elle **s'élança** dans le couloir, **obliqua** à gauche en direction de l'escalier, qu'elle **dévala** à toute vitesse. Hélas, elle **rebroussa chemin** devant la porte : ce n'était que le vent.

a. s'élancer : ....

b. obliquer : ....

c. dévaler : ....

d. rebrousser chemin : ....

7 SYNONYMES Reclassez ces verbes et expressions dans le tableau. Aidez-vous si nécessaire d'un dictionnaire.

se terrer – s'embusquer – se sauver – s'insinuer – filer – se faufiler – se dissimuler – se tapir – déguerpir – se glisser – pénétrer – détaler

se cacher	s'introduire	s'enfuir
....	....	....
....	....	....
....	....	....
....	....	....

8 LE MOT DANS SON CONTEXTE Lisez ce texte puis reliez chaque verbe à son synonyme de niveau courant.

La princesse **ôtait** sa robe quand la porte s'ouvrit. Surprise, elle **fit volte-face**. Ce n'était que sa servante, qui **se mouvait** toujours avec discrétion. La princesse lui **désigna** la robe dont elle **se vêtirait** pour le bal. Il fallait qu'elle **se hâte**, le bal allait commencer !

ôter ●   ● se dépêcher

faire volte-face ●   ● bouger

se mouvoir ●   ● se retourner

désigner ●   ● s'habiller

se vêtir ●   ● enlever

se hâter ●   ● montrer

9 LE MOT DANS SON CONTEXTE Entourez le verbe qui convient dans chacune de ces phrases. Aidez-vous si nécessaire d'un dictionnaire.

a. L'armée maléfique se lance/s'élance vers nous en hurlant.

b. Orcs et gobelins se dirigent/se ruent avec fracas sur la porte de la cité.

c. Le roi crie alors à la garde : « Soldats, à l'assaut ! Précipitez-vous/marchez vers les murailles !

d. Les elfes sont prévenus : ils courent/accourent déjà à notre secours.

e. Il ne faut pas que le sorcier s'empare/s'éloigne du talisman ! »

10 RÉVISION Complétez chaque phrase à l'aide d'un verbe de mouvement.

a. Le chiot .... entre mes jambes.

b. Les souris .... face au chat.

c. Le prédateur .... en attendant sa proie

d. La nuit, les oiseaux .... dans leur nid.

e. Elle .... à la pousuite du voleur.

f. Je .... l'escalier à toute vitesse.

11 RÉVISION Complétez ce texte à l'aide des verbes des exercices 7, 8 et 9.

Mon grand-père me.............................l'animal du doigt et murmure : « Regarde ! La belette............................., dans l'ombre, dissimulée par les buissons. La vois-tu ? Elle attend son heure pour .... dans le pou-lailler. Elle veut .... des poules et des poussins pour en faire son repas. Heureusement que je l'ai vue : je vais la faire .... loin de mes volailles. »

Expression

12 Inventez, pour chaque verbe, une phrase qui le fera comprendre à vos camarades ainsi que des expressions figurées.

déguerpir – déambuler – tournoyer – se tapir – bifurquer – errer

13 Racontez la suite et l'issue du combat entre le fauve et le gladiateur de la mosaïque romaine (exercice 1). Utilisez de nombreux verbes de mouvement.

J'observe et je retiens

1 OBSERVATION Entourez les verbes qui désignent des mouvements du corps.

se rendre à – ressentir – se diriger vers – s'agenouiller devant – être fasciné par – ordonner de – emmener avec – apporter à – se prononcer contre – se serrer contre

2 SUFFIXES Complétez chaque radical par l'un des préfixes suivants.

a(p)- ou *em-*

a. Karim ....porte ses BD dans ses bagages.

b. Félix ....mène son cousin en randonnée.

c. Elle a ......mené Céline à la garderie ce matin.

d. Je vais à la gare : tu veux que je t'........mène ?

e. Les vagues ont ....porté le ballon au loin.

f. Fatoumata va ....porter une tarte à son amie.

▷ JE RETIENS

Utiliser *amener* ou *emmener* ?
– Le préfixe *a-* comporte l'idée de **direction** (« vers ») : *amener* et *apporter* insistent donc sur le **lieu d'arrivée**, vers lequel on **se dirige**.
– Le préfixe *em-* comporte l'idée de prendre **avec** soi : *emmener* et *emporter* insistent donc sur le **point de départ** dont on **s'éloigne chargé**.
*J'emporte (**loin de chez moi**) des cadeaux que j'apporte à Lucie. J'emmène (**avec moi**) ma sœur car je dois l'amener à l'école.*

3 LE MOT DANS SON CONTEXTE Complétez chaque phrase par les verbes *aller* ou *venir*.

a. Le TGV met quatre heures pour .... de Paris à Marseille.

b. Anne .... de l'île de la Réunion.

c. Voulez-vous .... goûter chez moi demain ?

d. Mohamed va bientôt .... chez ses amis à Madrid.

e. Cindy hésite encore à .... nous voir.

f. Les CM2 vont .... visiter notre collège au mois de juin.

▷ JE RETIENS

Utiliser *aller* ou *venir* ?
– Le verbe *aller* insiste sur le **point de départ** et sur le **déplacement** vers un lieu : « *Je vais à Lyon* ». La personne à qui l'on parle **n'est pas à Lyon**. C'est un mouvement d'**éloignement**, **loin** d'un lieu.
– Le verbe *venir* insiste sur le **point d'arrivée** : « *Je viens à Lyon* ». La personne à qui l'on parle **est à Lyon**. C'est un mouvement d'**approche**, **vers** un lieu.

4 SENS Reclassez chaque expression dans le tableau en fonction du sens des verbes en gras.

Je **saute** dans l'eau. – Il faut **sauter** sur l'occasion. – Je me **jette** à l'eau, je vais lui parler. – Elle **s'est jetée** sur sa proie. – Elle me **tape** sur les nerfs. – Elle **tape** très vite au clavier – Vous devez vous **serrer** les coudes. – Ne te **serre** pas contre moi.

expressions concrètes (sens propre)	expressions imagées (sens figuré)
....	....
....	....
....	....
....	....

5 SENS Reliez chaque expression à sa signification. Aidez-vous si nécessaire d'un dictionnaire.

rester **bouche** bée ●   ● rester calme

garder son **sang** froid ●   ● réfléchir intensément

se **creuser** la tête ●   ● s'inquiéter

en avoir le **cœur** net ●   ● être surpris(e)

se faire de la **bile** ●   ● savoir la vérité

▷ JE RETIENS

Les expressions au sens figuré
La plupart du temps, ces expressions utilisent un **verbe au sens figuré** et une **partie du corps**. Ainsi, on peut *donner un coup de main* (aider), *remettre la main sur...* (retrouver), *demander la main de...* (demander en mariage), *faire main basse sur...* (voler), *prendre en main* (s'occuper), *gagner haut la main* (facilement), etc.

5 CULTURE **Complétez chaque texte avec les noms d'animaux indiqués.**

a. *chien – bœuf – bête – tortue – marmotte – corneilles*

Après une semaine passée à **travailler comme un** .... et à me donner **un mal de** .... sur ce projet, je suis épuisée : j'**avance comme une** .... et je rêvasse en **bayant aux** .... Pour reprendre du **poil de la** ...., ce soir, c'est décidé ! Je **me terre** chez moi tout le weekend, je **dors comme une** .... jusqu'à midi !

b. *poule – mouche – pou – lapin – singe – coq – coucou*

Il n'a vraiment rien pour lui, le pauvre ! Il est **velu comme un** ...., il a des **cuisses de** ...., des **mollets de** .... et il est **maigre comme un** .... Il est vraiment **moche comme un** .... ! J'en aurais presque **la chair de** .... ! Dès que je le vois, je n'ai qu'une envie : **détaler comme un** ....

c. *baleine – cygne – gazelle – poisson – guêpe*

Son épouse est magnifique. Elle a **une taille de** ...., **un cou de** .... et elle **court comme une** .... À la piscine, elle **nage comme un** .... Son seul défaut, c'est qu'elle **rit comme une** ....

d. *chiens – cabri – sardines – anguilles*

À 18 heures, dans le bus, nous sommes **serrés comme des** .... Moi, à cette heure-là, j'ai envie de **sauter comme un** .... ! Au lieu de ça, pour sortir, nous essayons de nous **faufiler comme des** .... entre les gens qui se **regardent en** .... **de faïence**, sans bouger d'un millimètre. Je hais le bus à 18 heures !

7 CULTURE **Complétez chaque expression à l'aide des mots suivants. Aidez-vous du sens donné entre parenthèses.**

rotules – cheveux – babines – jambes – bras – doigts – coudes

a. s'arracher les .... (être désespéré)

b. s'en lécher les .... (se réjouir d'un repas)

c. être sur les .... (être très fatigué)

d. s'en mordre les .... (regretter amèrement)

e. se serrer les .... (s'entraider)

f. s'enfuir à toutes .... (se sauver rapidement)

g. accueillir à .... ouverts (chaleureusement)

8 SENS **Reliez chaque expression à sa signification. Aidez-vous si nécessaire d'un dictionnaire.**

de bon **cœur** ● ● devant la personne

au **doigt** et à l'**œil** ● ● avec autorité

à la **barbe** de quelqu'un ● ● presque complètement

en **chair** et en **os** ● ● en personne

jusqu'au **cou** ● ● bien volontiers

9 RÉVISION **Complétez chaque radical avec le préfixe qui convient.**

a(p)-, em-, rem-, ra(p)-

a. Sarah m'........mène en vacances à la mer.

b. J'........porte un livre en voyage.

c. Elle m'a ....porté le sac qu'elle m'avait emprunté.

d. Sabine vient de nous ....porter des œufs.

e. Elle a encore ....porté le concours de conjugaison.

f. Les tornades ....portent tout sur leur passage.

g. N'oublie pas d'......mener Kevin chez le dentiste.

10 RÉVISION **Complétez chaque texte par les verbes *va*, *vient* ou *arrive*.**

a. Jérôme .... aujourd'hui à 4h du matin. Il .... passer quelques jours chez nous. Ensuite, je crois qu'il .... chez son amie Marie.

b. Regarde ! C'est Sofia qui .... toute souriante et bronzée. Chaque jour, elle .... à la plage à 14 h puis, vers 18 h, ... nous rendre une petite visite.

Expression

11 **Racontez cette scène de combat entre un centaure et un être humain, en utilisant le vocabulaire du corps et des mouvements.**

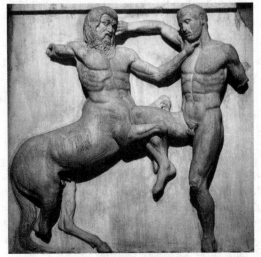

Lapithe et Centaure, sculpture, 447 av. J.-C., British Museum.

23 Les verbes de parole

J'observe et je retiens

1 OBSERVATION **Entourez, dans le texte suivant, les mots qui appartiennent au vocabulaire de la parole.**

Circé, la déesse-sorcière, tombe amoureuse du beau Picus qui passe devant elle sans la voir.

« Même si le vent t'emporte, s'écria-t-elle, tu ne m'échapperas pas. Je connais mon pouvoir et mes enchantements sont puissants ! » […] Alors la fille du Soleil commença à prononcer des charmes magiques. Elle dit des mots funestes, elle invoqua des dieux inconnus et chanta des airs plus inconnus encore.

Ovide, Métamorphoses, « Picus et Canente ».

▶ JE RETIENS

Les verbes de parole

On les emploie **très souvent** surtout quand les personnages prennent la parole et ils sont **très nombreux** dans la langue française : il faut donc les connaître pour ne pas trop répéter le verbe *dire*.

2 LE MOT DANS SON CONTEXTE **Dans ce texte, remplacez dire par l'un des verbes suivants.**

s'écria – ordonna – murmura – grogna – demanda

Vassilissa trouva Baba Yaga dans sa chaumière montée sur de grandes pattes de poulet :

– Que viens-tu faire ici ? lui **dit** (...............................) la sorcière.

– Ma mère m'envoie te demander une aiguille et une bobine de fil, **dit** (...........................)-t-elle d'un air timide.

– Bien, attends-moi ici, **dit** (...........................) la sorcière d'une voix rauque.

Baba Yaga sortit et **dit** (...............................) à sa servante : « Va faire chauffer un bain pour ma nièce. » Avant de quitter la pièce, elle se retourna et **dit** (...............................) : « Et qu'elle soit bien propre, je veux la manger à mon déjeuner ! »

Vassilissa la très belle, conte russe.

▶ JE RETIENS

Comment éviter le verbe *dire* ?

Il faut observer l'intention du personnage et le **ton** qu'il adopte. Par exemple, s'il donne un ordre, on peut utiliser les verbes *exiger, ordonner, décréter, imposer*. S'il parle à voix basse, on utilise *chuchoter, murmurer, susurrer, souffler*.

3 LE MOT DANS SON CONTEXTE **Lisez ce texte, qui est la suite de l'extrait précédent, puis reliez chaque verbe de parole à son synonyme.**

La jeune fille entendit cela et **implora** la servante : « Ma bonne amie, allume le bois ; mais verse l'eau dessus. » Elle lui donna un mouchoir et la servante fit de bonne grâce ce qu'elle lui **avait proposé**.

En revenant, Baba Yaga vit que la jeune fille était partie, et que l'eau de la marmite était froide et le feu éteint. Elle **pesta** immédiatement contre sa servante :

– Pourquoi l'as-tu laissée partir ? **s'écria**-t-elle.

– Il y a bien longtemps que je te sers, lui **rétorqua** la servante, et tu ne m'as jamais donné le moindre chiffon. Elle, elle m'a donné un joli mouchoir.

implorer ●	● répondre
proposer ●	● supplier
pester ●	● s'exclamer
s'écrier ●	● râler
rétorquer ●	● demander

▶ JE RETIENS

S'écrier et *rétorquer*

S'écrier signifie « prononcer des paroles d'une **voix forte** sous l'effet d'une **émotion** » et rétorquer signifie, en latin, « retourner ». Il s'agit de **répliquer vivement**, de répondre sous forme de **riposte**.

4 SYNONYMES **Reclassez ces verbes dans les tableaux. Aidez-vous d'un dictionnaire.**

bégayer – râler – demander – gémir – implorer – maugréer – prier – balbutier – grommeler – sangloter – baragouiner – se plaindre

supplier	bougonner
....	....
....	....
....	....

pleurnicher	bafouiller
....	....
....	....
....	....

5 LE MOT DANS SON CONTEXTE **Entourez, dans chaque phrase, le verbe de parole qui convient.**

a. Enlil entendit le vacarme et il *prononça – constata – répondit* devant les autres dieux assemblés : « La clameur de l'humanité est si intolérable qu'il est impossible de dormir. »

b. Le roi des dieux *baragouina – ordonna – révéla* alors : « Exterminons l'humanité ! »

c. Le dieu Ea, en raison de son serment, *murmura – s'écria – proposa* tout doucement ces mots à ma maison de roseaux : « Haie de roseaux, haie de roseaux, palissade, palissade ! Haie de roseaux, écoute donc ! »

d. Ea me *demanda – répondit – conseilla* : « Démolis ta maison, construis un bateau, abandonne tes richesses. » Peu après, le déluge commença.

e. « Pourquoi ai-je ordonné ce mal ? Les hommes ne sont-ils pas mes enfants ? » *proféra – maugréa – demanda* la déesse Ishtar en pleurant.

L'*Épopée de Gilgamesh*, « Le déluge raconté par Ut-Napishtim ».

6 SENS **Complétez chaque phrase en utilisant les verbes suivants. Chaque verbe doit être utilisé deux fois.**

réciter – divulguer – prononcer – proférer

a. Le fait de .... des menaces contre quelqu'un est puni par la loi.

b. Sofia va correctement .... sa leçon.

c. La cruelle sorcière Baba Yaga se mit soudain à .... une formule magique.

d. Chut ! Il ne faut pas .... ce secret !

e. Le maire va .... demain son discours d'inauguration de la nouvelle piscine.

f. Vous devez .... un poème.

g. Tu es puni. Je n'accepte pas que tu te permettes de .... la moindre insulte en classe.

h. Le directeur va bientôt .... son plan d'action pour lutter contre l'absentéisme.

7 SENS **Entourez l'intrus dans chaque liste de synonymes. Aidez-vous si nécessaire d'un dictionnaire.**

a. répandre – révéler – proposer – dévoiler – ébruiter

b. rétorquer – répliquer – confier – répondre – riposter

c. jurer – promettre – ordonner – donner sa parole

d. réclamer – hurler – crier – s'écrier – vociférer

8 RÉVISION **Proposez un antonyme pour chacune de ces expressions. (Utilisez les verbes des exercices 3 et 4).**

Ex. : *articuler distinctement → bafouiller*

a. dire à voix basse → ....

b. répondre avec douceur → ....

c. prononcer d'une voix claire et forte → ....

d. proposer timidement → ....

e. accepter avec entrain → ....

9 RÉVISION **Complétez ce texte avec les verbes de parole qui conviennent. N'utilisez pas le même verbe deux fois et évitez le verbe *dire*.**

Circé s'approcha de Picus et lui .... : « Ô toi, le plus beau des mortels, je t'en ...., réponds à mon amour et ne me méprise pas, moi, la déesse Circé ! » Mais Picus repoussa froidement la déesse : « Qui que tu sois, ... il, je ne puis être à toi. Mon cœur appartient pour toujours à une autre. » Circé le .... encore, mais en vain : Picus ne voulait rien entendre. C'est alors qu'elle .... : « Ton dédain ne restera pas impuni : plus jamais tu ne reverras ta chère Canente ! »

Ovide, *Métamorphoses*, « Picus et Canente ».

Expression

10 **Imaginez la suite du dialogue entre la déesse Circé et Picus, jusqu'à la métamorphose de celui-ci en pivert. Vous utiliserez des verbes de parole variés.**

11 **Imaginez le dialogue entre ces deux personnages. Votre dialogue sera bien ponctué et mis en page, et comportera des verbes de parole variés.**

Les Deux Carrosses, Claude Gillot, XVIIe s., musée du Louvre.

24 Les couleurs

1 OBSERVATION Entourez dans ce texte les quatre adjectifs qui désignent une couleur.

À son arrivée dans la pièce, honteuse et inquiète, elle était écarlate. Elle était pourtant si jolie, avec son manteau indigo et son écharpe turquoise, qui mettaient en valeur ses yeux émeraude !

2 SUFFIXES Transformez ces adjectifs en verbes à l'aide du suffixe -ir. Attention aux éventuelles modifications du radical.

Ex. : vert → verdir

a. bleu → ....

b. noir → ....

c. blanc → ....

d. rose → ....

e. jaune → ....

f. rouge → ....

3 SUFFIXES Transformez chaque adjectif en utilisant les suffixes suivants. N'oubliez pas d'accorder les adjectifs.

-âtre, -té, -i, -issant, -oyant, -aud

Ex. : un accusé (blanc) : blanchi
une teinte (blanc) : blanchâtre

a. les prairies (vert) ....
un teint (vert) ....

b. un jeune homme (rouge) ....
des braises (rouge) ....

c. des reflets (bleu) ....
de la fumée (bleu) ....

d. du papier (jaune) ....
un feuillage (jaune) ....

e. des murs (noir) ....
un teint (noir) ....

JE RETIENS

Les suffixes -âtre, -asse et -aud

Ce sont des **suffixes péjoratifs**. Ils donnent une image négative d'une personne ou d'une chose : *une peinture grisâtre, un teint rougeaud, un gout fadasse* (adjectifs), *une blondasse, un péquenaud, un bellâtre* (noms).

4 CULTURE Reliez chaque couleur aux deux nuances qui lui correspondent.

gris ●   ● d'encre
     ● souris
noir ●   ● anthracite
     ● d'ébène

5 CULTURE Replacez chaque adjectif de couleur après la définition qui convient. Les adjectifs de couleur sont ici employés comme des noms communs.

blanc – noir – marron – bleu

a. un fromage, un vêtement ou une jeune recrue
→ un ....

b. du linge de maison, un silence ou un interligne
→ le ....

c. un café bien fort ou une soudaine obscurité
→ un ....

d. un fruit ou un coup porté à quelqu'un
→ un ....

6 CULTURE Complétez chaque expression en utilisant les adjectifs suivants. N'oubliez pas de les accorder.

noir – blanc – rouge – jaune – bleu – gris – vert – rose

a. le dollar : le billet ....

b. l'annuaire professionnel : les pages ....

c. un bon cuisinier : un cordon ....

d. les avis de naissances : le carnet ....

e. l'intelligence : la matière ....

f. une alerte maximum : une alerte ....

g. un faux mariage : un mariage ....

h. l'humour grinçant : l'humour ....

JE RETIENS

Les périphrases

Cette **figure de style** consiste à dire en plusieurs mots, de manière **imagée**, ce qu'on pourrait dire en un seul mot : *Le roi des animaux* (le lion).
Certaines périphrases s'appuient sur les couleurs : *l'or noir* (le pétrole) ; *les eaux grises* (les eaux usées) ; *la lanterne rouge* (le dernier d'une course)...

7 CULTURE Entourez l'adjectif qui convient pour retrouver chaque expression imagée.

a. Ce matin, je me suis levé de bonne heure. J'ai passé une **nuit** *blanche/noire* à me faire des **idées** *noires/grises*, et je ne désire qu'une chose : me **mettre au** *bleu/vert*.

b. Hier, mon patron, **connu comme le loup** *blanc/gris* pour ses sautes d'humeur, est entré dans une **colère** *rouge/noire*.

c. Dans un long discours, il a **tiré à boulets** *rouges/blancs* sur un ancien employé, disant qu'il nous avait **saignés à** *rouge/blanc*.

d. L'employé aurait laissé les **comptes dans le** *rouge/vert* et est désormais sa **bête** *noire/grise*.

e. D'une **voix** *blanche/jaune* et *bleu/rouge* **de colère**, il nous a fait un terrible tableau de la situation !

8 CULTURE Entourez l'adjectif qui convient pour retrouver chaque expression imagée.

a. Nous avons aussitôt éprouvé une **peur** *verte/bleue* à l'idée de perdre notre emploi et de devoir peut-être un jour **travailler au** *vert/noir*...

b. Comme nous faisions tous *grise/rose* **mine**, il a ajouté qu'il nous donnait **carte** *blanche/verte* pour remonter l'entreprise.

c. Il a ajouté : « Ne soyez pas **fleur** *rose/bleue*, on va encore en raconter **des** *vertes/rouges* **et des pas mûres** sur nous.

d. Mais il ne faudra pas vous faire de **cheveux** *marron/blancs* ; nous nous en sortirons bientôt, et ce jour sera à marquer d'une **pierre** *grise/blanche* !

e. Vous pourrez à nouveau **voir la vie en** *bleu/rose* ! » Puis il nous a **donné le feu** *orange/vert* pour retourner travailler.

9 SENS Entourez l'intrus dans chacune de ces listes de nuances de couleurs. Aidez-vous d'un dictionnaire.

a. azur – roi – marine – carmin – pétrole – turquoise
b. brique – jade – corail – vermillon – rubis – vermeil
c. serin – paille – indigo – safran – soufre – moutarde
d. bronze – citron – émeraude – olive – pistache
e. lavande – lilas – paille – parme – pourpre – prune
f. cobalt – nuit – ciel – cyan – magenta – canard

10 RÉVISION Replacez dans le tableau les nuances qui correspondent à chaque couleur. Aidez-vous d'un dictionnaire.

souris – saumon – encre – pétrole – anis – paille – ciel – bonbon – jade – vermillon – jais – anthracite – épinard – soufre – écru – laiteux – cobalt – corail – perle – cassé – citron – vieux – cerise – ébène

rouge	.... – .... – ....
jaune	.... – .... – ....
vert	.... – .... – ....
bleu	.... – .... – ....
rose	.... – .... – ....
noir	.... – .... – ....
blanc	.... – .... – ....
gris	.... – .... – ....

Expression

11 Vous visitez un jour les jardins de Claude Monet à Giverny et vous décidez d'envoyer une lettre à vos parents pour leur décrire ce que vous avez vu. Utilisez le vocabulaire des couleurs.

Jardins de Giverny, France.

12 Racontez une visite au musée qui se passe mal en utilisant de nombreuses expressions fondées sur les couleurs. Utilisez en particulier le vocabulaire des exercices 6, 7 et 8.

Cette série d'exercices vous permettra d'évaluer vos connaissances après avoir complété l'ensemble des fiches de la 2ᵉ partie. Chaque réponse correcte vaut 0,5 point. **À vous de jouer !**

1 **Cochez la bonne réponse pour chaque proposition.**
▶ *fiches n° 12 et n° 13*

a. Une masure est une habitation sans confort. :
☐ vrai   ☐ faux

b. *Abrupt* est synonyme de *raide* ou *escarpé*. :
☐ vrai   ☐ faux

c. On peut dire « à l'orée de la mer ». :
☐ vrai   ☐ faux

d. *Cime* est synonyme de *gouffre* :
☐ vrai   ☐ faux

e. Un lustre est une période de cinq ans.
☐ vrai   ☐ faux

f. Un semestre est une période de quatre mois.
☐ vrai   ☐ faux

… /3

2 **Trouvez un synonyme pour chaque nom.**
▶ *fiches n° 14, n° 15 et n° 16*

a. les berges : ....

b. la lisière du bois : ....

c. les marais : ....

d. la forêt de hêtres : ....

e. la bourrasque : ....

f. la houle : ....

g. l'onde : ....

h. les nuées : ....

… /4

3 **Formez le nom qui correspond à chaque adjectif.**
▶ *fiches n° 17 et n° 18*

a. stupéfait → ....

b. anxieux → ....

c. déçu → ....

d. enjoué → ....

e. nostalgique → ....

f. ingrat → ....

/3

4 **Replacez chaque synonyme après le nom qui convient.**
▶ *fiches n° 19 et n° 20*

frôlement – répugnance – fascination – clameur – envoutement – remugle

a. dégoût : ....

b. enchantement : ....

c. contemplation : ....

d. vacarme : ....

e. caresse : ....

f. puanteur : ....

/3

5 **Reliez chaque verbe à sa définition.**
▶ *fiches n° 21 et n° 22*

a. obliquer ●   ● **1.** montrer

b. s'insinuer ●   ● **2.** tourner

c. se hâter ●   ● **3.** se glisser

d. désigner ●   ● **4.** se dépêcher

e. déguerpir ●   ● **5.** courir

f. se ruer ●   ● **6.** s'enfuir

… /3

6 **Replacez chaque synonyme après le verbe qui convient.**
▶ *fiche n° 23*

s'enquérir – répliquer –pester – baragouiner

a. rétorquer : ....

b. bafouiller : ....

c. demander : ....

d. râler : ....

/2

7 **Donnez la couleur indiquée par chaque nuance.**
▶ *fiche n° 24*

a. anthracite : ....

b. cyan : ....

c. vermillon : ....

d. ébène : ....

/2

TOTAL : ...... / 20

Comprendre les œuvres au programme

25 Le livre et l'art de la narration

1 **OBSERVATION** Lisez ce texte sur le parcours du livre, puis complétez le tableau grâce aux noms en gras.

À l'origine d'un livre, on trouve un **auteur** qui décide de raconter une histoire. Après l'**écriture**, l'**écrivain** propose son texte à un **éditeur**, qui se charge de l'aider, de corriger, de commercialiser et de faire la publicité du livre. Un **maquettiste** se charge de mettre en page l'ouvrage. Un **illustrateur** peut dessiner quelques images. L'**imprimeur**, comme son nom l'indique, imprime l'ouvrage. Ensuite, les **libraires** diffusent l'ouvrage.

rôle	métier
idée et écriture du livre	....
aide, correction, commercialisation	....
mise en page	....
création des images	....
impression du livre	....
diffusion et vente	....

▶ **JE RETIENS**

Le parcours du livre

Avant l'invention de l'imprimerie par **Gutenberg** au XVᵉ **siècle**, le livre était recopié à la main et diffusé sous forme de **papyrus**, **tablette** ou **parchemin**. Aujourd'hui, il suit un long parcours qui fait intervenir de nombreux métiers avant d'arriver entre les mains du lecteur.

2 **SYNONYMES** Entourez les verbes qui désignent l'action de raconter quelque chose. Aidez-vous si nécessaire d'un dictionnaire.

démonter – narrer – raconter – définir – relater – dire – expliquer – rapporter – donner – conter – imprimer – réciter – dessiner

▶ **JE RETIENS**

Le verbe *narrer* et sa famille

Ce verbe signifie *raconter*. Sa racine (*narr-*) se retrouve dans le mot *narrateur* (celui qui raconte une histoire) ou dans *narration* (récit, histoire).

3 **LE MOT DANS SON CONTEXTE** Complétez le texte grâce aux mots suivants.

récit – narrateur – personnages – personne – auteur – extrait – héros

« *Alors que nous avons les yeux fixés sur Charybde, Scylla enlève de mon navire six de mes fidèles marins, connus pour leur force et leur courage.* »

L'*Odyssée* est une épopée antique. Selon la tradition, Homère en est l'........................ , mais on ne sait pas si celui-ci est une .... ayant réellement existé. Ulysse est le .... de l'histoire. Dans l'........................ proposé ci-dessus, « mon navire » et « mes marins » montrent qu'il est aussi celui qui raconte l'histoire, le .... Le monstre Scylla, les marins mais également lui-même sont les .... de son ....

4 **CULTURE** Entourez les œuvres qui racontent des choses « fausses » ou inventées.

article de presse – roman – conte – mythe – légende – manuel – épopée – pièce de théâtre – reportage – scénario – documentaire – mode d'emploi – fable

▶ **JE RETIENS**

Les genres fictionnels

Dans un genre, on classe les œuvres qui **se ressemblent** (même forme, même type d'histoire, etc.). Un **genre fictionnel** raconte des histoires inventées, des fictions (contes, fables, etc.). Si l'histoire est proche de la **réalité**, on dit alors qu'elle est **réaliste**.

5 **SUFFIXES** Transformez chaque nom en adjectif. Utilisez les suffixes suivants.

-al, -esque, -ique, -iste, -eux

a. mythe → myth...............
b. épopée → ép..................
c. poésie → poét...............
d. théâtre → théâtr...........
e. roman → roman...........
f. comédie → com............
g. merveille → merveill.......
h. réalité → réal..............

▶ **JE RETIENS**

Le récit merveilleux

L'histoire s'y déroule souvent dans un **passé ancien** et imprécis peuplé de **créatures** et d'**objets magiques**. C'est le cas dans les contes et les romans de **fantasy**.

6 LE MOT DANS SON CONTEXTE **Replacez les mots suivants dans le texte. Aidez-vous des mots en gras.**

fée – opposants – héroïne – adjuvants – sorcière – héros

Dans un conte, le personnage principal s'appelle le .... Si c'est une **femme**, on l'appelle l'........................... . Les personnages ennemis, qui **s'opposent** à lui, sont appelés les .... : par exemple, une marâtre, un ogre ou une .... Les personnages qui lui apportent de l'**aide** sont les .... : par exemple, une .... , un prince ou un ami.

7 SYNONYMES **Afin de mieux comprendre les étapes du schéma narratif, reliez chaque mot à un synonyme.**

situation initiale ●   ● dénouement

élément perturbateur ●   ● aventures

péripéties ●   ● solution

élément de résolution ●   ● début

situation finale ●   ● modificateur

8 FAMILLE **Reliez chaque étymologie au mot qui convient.**

mot qui vient du latin *quaerere* (rechercher) ●

mot qui vient du grec *peripeteia* (qui tombe sur) ●   ● péripéties

    ● aventures

mot qui vient du latin *advenire* (arriver, se produire) ●   ● épreuves

    ● quête

mot qui vient du latin *probare* (prouver, vérifier) ●

9 FAMILLE **Retrouvez le mot qui correspond à chaque définition en utilisant le mot en gras ainsi que le suffixe -eur, -ier ou -ain.**

a. J'**écris** un livre : je suis un ....

b. Je **crée** une histoire : je suis un ....

c. J'écris un **roman** : je suis un ....

d. Je raconte ou j'écris des **contes** : je suis un

....

e. J'**édite** le livre : je suis un ....

f. J'**illustre** le livre : je suis un ....

g. J'**imprime** le livre : je suis un ....

h. Je **lis** un livre : je suis un ....

10 CULTURE **Reliez chaque œuvre célèbre au genre auquel elle appartient.**

L'*Odyssée* d'Homère ●

Le Lièvre et la Tortue de La Fontaine ●

Matilda de Roald Dahl ●   ● fable

    ● pièce de théâtre

Les *Métamorphoses* d'Ovide ●   ● épopée

    ● conte

Le Petit Poucet de Charles Perrault ●   ● roman

    ● récit mythologique

Le Médecin malgré lui de Molière ●

11 RÉVISION **Complétez le texte en utilisant les mots suivants et en conjuguant, si nécessaire, les verbes.**

péripéties – aventures – arriver – prouver – rechercher – quête – aventures

Les héros des contes doivent souvent .... leur courage ou leur valeur. Ils se lancent alors dans une .... semée d'embûches. Les héros doivent souvent .... un lieu, un objet ou une personne qui pourra les aider. Ils traversent alors de rudes .... et vivent d'extraordinaires .... (qu'on appelle aussi ....). Beaucoup d'évènements vont .... : rencontres, combats, énigmes, etc.

Expression

12 **Inventez de courtes phrases dans lesquelles vous utiliserez les mots suivants.**

narrateur – péripéties – fiction – mythique

13 **Cherchez des œuvres qui appartiennent aux genres suivants.**

épopée – mythe – conte – fable – comédie – roman

14 **Inventez la fiche de présentation d'un livre imaginaire en précisant les éléments suivants.**

titre – auteur – éditeur – résumé rapide du récit – nom du héros – adjuvants – opposants – exemple de péripétie subie par le héros

26 Le théâtre : texte et représentation

J'observe et je retiens

1 OBSERVATION **Lisez ce texte, puis barrez, dans chaque liste, le mot qui n'est pas synonyme.**

En 1673, Molière **répéta** et **monta** *Le Malade imaginaire* au théâtre du Palais-Royal. Le dramaturge y **interprétait** lui-même le rôle principal d'Argan. Contrairement à la légende qui veut qu'il soit mort sur scène, il monta sur les **planches** au soir du 17 février et fut pris d'un malaise au cours de la **représentation**. Était-ce le **trac** ? Non, c'était une pneumonie, dont il mourut dans la nuit.

a. **répéter** → préparer – s'entrainer – terminer

b. **monter** → écrire – diriger – mettre en scène

c. **interpréter** → tenir le rôle de – jouer – lire

d. **planches** → scène – bois – plateau

e. **représentation** → spectacle – scène – séance

f. **trac** → angoisse – stress – colère

> **JE RETIENS**
> **Le dramaturge**
> C'est l'écrivain, l'**auteur** de la pièce. Ce mot provient du mot *drame*, qui signifie étymologiquement « la pièce de théâtre ». Molière était à la fois dramaturge, metteur en scène et comédien.

2 PRÉFIXES **Complétez chaque définition en ajoutant le préfixe qui convient au verbe *clamer*.**

pro-, ac-, dé-, ré-, ex-

a. Saluer par des cris enthousiastes : ……..clamer

b. Réciter à haute voix, avec des gestes et des intonations : ……..clamer

c. Annoncer publiquement et officiellement quelque chose : ……..clamer

d. Demander avec insistance et de manière pressante : ……..clamer

e. Élever la voix sous le coup d'une vive émotion : s'……..clamer

> **JE RETIENS**
> **La clameur**
> Ce nom d'origine latine (*clamor*) signifie « cri, plainte ». La **clameur** du public peut être le signe du **succès triomphal** d'un spectacle ou celui de son **échec cuisant** !

3 LE MOT DANS SON CONTEXTE **Complétez chaque phrase à l'aide des verbes suivants.**

mettre – faire – monter – répéter

a. Je vais ………………… cette **scène** de dispute.

b. Elle finit par ………………… une **scène** à son mari.

c. C'est Samuel qui va la ………………… en **scène**.

d. J'ai le trac avant de ………………… sur **scène**.

4 RACINES **Complétez chaque définition à l'aide des mots suivants. Aidez-vous des racines en gras.**

didascalie – monologue – aparté – quiproquo – dialogue

a. Scène d'une pièce où un seul personnage parle (du grec *mono*, un seul) : …………………………

b. Scène où plusieurs personnages se parlent (du grec *dia*, à travers) : …………………………

c. Courte réplique qui n'est entendue que par le public (du latin *a parte* : à part) : …………………………

d. Scène où un personnage prend une personne ou une chose pour une autre (du latin *quid pro quo*, quelque chose pour une autre) : ………………………… .

e. Instruction de l'auteur dans le texte à propos du jeu des comédiens, du décor ou de la mise en scène (du grec *didaskein*, enseigner) : …………………………

5 SENS **Reliez chaque mot à son synonyme courant. Aidez-vous d'un dictionnaire.**

tirade ●	● comédie
farce ●	● malentendu
réplique ●	● monologue
quiproquo ●	● histoire
tragédie ●	● réponse
intrigue ●	● drame

> **JE RETIENS**
> **Les didascalies**
> Placées en **italique** avant la **réplique** du personnage, elles indiquent au comédien le **geste** à faire, l'**interlocuteur** à sélectionner ou le **ton** à adopter.
> *Ex. :* SGANARELLE (*Il prend un bâton, et lui en donne.*) Ah ! Vous en voulez donc ?
> Molière, *Le Médecin malgré lui.*

6 SENS Complétez le tableau à l'aide d'un terme théâtral. Aidez-vous de son sens courant.

mot	sens courant	sens théâtral
une	lieu de représentation	division d'une pièce délimitée par une entrée ou sortie de personnage
une	groupe ou unité militaire	groupe de comédiens
un	ce que fait une personne	division d'une pièce regroupant plusieurs scènes
une	moment de la journée situé avant midi	représentation qui a lieu l'après-midi

7 SUFFIXES Transformez chaque verbe en nom commun. Pour cela, modifiez le suffixe de chaque verbe.

a. ovationner → ....

b. acclamer → ....

c. huer → ....

d. applaudir → ....

8 SENS Reclassez ces mots dans le tableau en fonction de ce qu'ils indiquent.

ovation – fiasco – bide – applaudissement – huée – acclamation – bravo – sifflet

triomphe	échec
....	....
....	....
....	....
....	....

9 LE MOT DANS SON CONTEXTE Lisez ce texte puis reliez chaque mot à son synonyme.

Dans la *commedia dell'arte* du XVIe siècle en Italie, il n'y a ni **plateau** fixe ni texte écrit : les **compagnies** vont de ville en ville et, pendant les **représentations**, les comédiens fondent leurs **improvisations** sur un bref **canevas** qui précise la situation. Masqués, ils sont souvent spécialisés dans un personnage stéréotypé, dont le public reconnaît aisément le caractère et les **mœurs**. Les plus connus sont Arlequin, Polichinelle, Scaramouche, Matamore et Colombine.

plateau ●   ● troupes

compagnies ●   ● inventions

représentations ●   ● scénario

improvisations ●   ● scène

canevas ●   ● habitudes

mœurs ●   ● spectacles

10 CULTURE Complétez chaque expression courante, issue du monde théâtral, à l'aide des mots suivants.

bide – monter – coulisses – guichets – galerie – théâtre – rampe

a. La décision soudaine de Sarah fut **un coup de** .... pour sa famille : elle serait comédienne !

b. La découverte des .... **du monde** du théâtre, qu'on ne voit jamais sur scène, ne l'effrayait pas.

c. Elle prit des cours de théâtre avant de .... **sur les planches** et de voir son nom à l'affiche.

d. Au début, elle en faisait toujours trop pour paraitre sous son meilleur jour et pour **épater la** ....

e. Sa première pièce fut d'ailleurs arrêtée au bout d'une semaine : elle fut un .... **retentissant**.

f. Mais aujourd'hui, elle a enfin le succès qu'elle mérite : elle est **sous les feux de la** .... !

g. Sa dernière pièce s'est d'ailleurs jouée **à** .... **fermés** : la salle était comble tous les soirs.

11 RÉVISION Complétez le texte à l'aide des mots suivants.

triomphe – farce – dramaturge – acte – troupe

Jean-Baptiste Poquelin, dit Molière, avant de devenir un célèbre ...., dirigeait avec Madeleine Béjart l'Illustre Théâtre, une .... qui se déplaçait de ville en ville. Ce ne fut qu'à son retour à Paris, en 1658, qu'il connut son premier .... grâce à la .... en un seul .... intitulée *Le Docteur amoureux*.

Expression

12 Rédigez des phrases qui illustrent chacun des mots ou expressions suivants.

faire un bide – répétitions – brûler les planches – quiproquo – recevoir une ovation

27 Le théâtre : lieux et métiers

J'observe et je retiens

1 OBSERVATION Entourez les intrus qui ne sont pas synonymes de *comédien*.

interprète – dramaturge – tragédien – acteur – personnage – saltimbanque – artiste scénique – metteur en scène

2 SUFFIXES Indiquez le nom commun qui correspond à chacun de ces verbes.

a. représenter : ....

b. interpréter : ....

c. répéter : ....

d. figurer : ....

e. diriger : ....

> ### JE RETIENS
> **Le comédien**
> Il joue ou **tient le rôle** d'un personnage. On dit aussi qu'il l'**interprète** ou l'**incarne**. S'il est le premier interprète d'un rôle qui n'a jamais été joué, on dit qu'il le **crée**.

3 SUFFIXES Retrouvez le métier du théâtre qui correspond à chaque définition. Pour cela, ajoutez l'un des suffixes suivants à chaque mot en gras.

-iste, -teur, -eur, -ier, -ant, -ien

Ex : *Il **met** en scène la pièce* → *le **metteur** en scène*

a. Il joue la **comédie** sur scène. → le ....

b. Il **figure** sur scène sans parler. → le ....

c. Il règle et dirige les **éclairages** sur la scène.
→ l'....................................

d. Il sélectionne, place ou enlève les **accessoires** de scène. → l'....................................

e. Il conçoit ou choisit les **décors** de scène.
→ le ....

f. Il fabrique les **costumes** des acteurs.
→ le ....

g. Il **maquille** les acteurs avant leur entrée en scène.
→ le ....

h. Il règle les **machines** de scène et installe les décors.
→ le ....

i. Il n'**ouvre** plus la porte mais aide les spectateurs à s'installer. → l'............................

> ### JE RETIENS
> **Le metteur en scène**
> Le public ne le voit pas mais son rôle est **essentiel**. C'est lui ou elle qui **dirige** la représentation (comédiens, décors, lumière, musique, costumes, etc.). C'est en quelque sorte le chef d'orchestre qui **concrétise sur scène** sa vision d'une pièce de théâtre.

4 SENS Complétez le tableau à l'aide d'un terme théâtral. Aidez-vous de son sens courant.

mot	sens courant	sens théâtral
côté	espace découvert et délimité près d'un bâtiment	côté droit de la scène vue de la salle
côté	espace où l'on cultive des plantes	côté gauche de la scène vue de la salle
un	pantalon et veste assortis, pour homme	déguisement des comédiens
la	barre d'appui le long d'un escalier	rangée de lumières placée au bord de la scène
un	saillie sur la façade d'un bâtiment	rangs de spectateurs situés en hauteur
la	petit panier léger, souvent en osier	premier balcon d'une salle, au-dessus de l'orchestre
la	grand trou creusé dans le sol	place des musiciens, en contrebas de la scène

> ### JE RETIENS
> **Côté cour, côté jardin ?**
> La **Comédie-Française**, créée à Paris au XVIIe siècle sur l'ordre du roi Louis XIV, désigne à la fois la troupe de comédiens et le bâtiment qui l'abrite. À l'origine, la scène de ce théâtre donnait d'un côté sur la **cour** du bâtiment, et de l'autre sur un **jardin**. On a étendu ces mots à tous les théâtres.

5 SENS Complétez le tableau à l'aide d'un terme théâtral. Aidez-vous de son sens courant.

mot	sens courant	sens théâtral
le	lieu d'habitation de volailles	places les plus hautes du théâtre
le	séjour des âmes justes	
l'	ensemble musical	places situées juste devant la scène, plus chères
la	porche, passage couvert	places en hauteur, rangs du balcon
les	supports sur lesquels glissent des éléments	lieu caché du public sur les côtés et derrière la scène
une	cuve pour le bain	loge au rez-de-chaussée

6 LE MOT DANS SON CONTEXTE Complétez la légende de l'image grâce aux mots suivants.

galeries ou balcon – corbeille – fosse – parterre ou orchestre – paradis ou poulailler – baignoire

1. ....
2. ....
3. ....
4. ....
5. ....
6. ....

7 RÉVISION Complétez le texte avec les synonymes des mots en gras.

comédie – troupe – costume – personnage

Pantalone est une **figure** (.............................) tradition-nelle de la **farce** (.............................) italienne appelée *commedia dell' arte*. Chaque **compagnie** (.......................) avait son Pantalone. Ce vieillard portait toujours un **habit** (.............................) rouge et un masque au nez crochu.

8 Lisez cet extrait adapté de *La Paix* d'Aristophane (dramaturge de l'Antiquité grecque), où le paysan Trygée, monté sur le mont Olympe, ne veut pas dire son nom au dieu Hermès.

HERMÈS. – Ah ! La canaille, l'insolent, le coquin ! Canaille, pure canaille, canaille des canailles, comment es-tu monté jusqu'ici, canaille des canailles des canailles ? Quel est ton nom ? Ne le diras-tu jamais ?

TRYGÉE. – Triple canaille.

HERMÈS. – D'où viens-tu ? Dis-le-moi !

TRYGÉE. – De triple canaille.

HERMÈS. – Quel est le nom de ton père ?

TRYGÉE. – Le nom de mon père ? Triple canaille.

HERMÈS. – Par la Terre ! Tu es un homme mort, si tu ne me donnes pas ton nom !

Rédigez la suite de cette scène, dans laquelle Trygée trouve un moyen de ne pas dire son nom à Hermès. Votre dialogue comportera un aparté et des didascalies. Il finira par le départ d'Hermès.

J'observe et je retiens

1 OBSERVATION Replacez les éléments suivants dans ce poème incomplet. Aidez-vous des sonorités finales.

commune – Norvège – le Missouri – Paris –
que sais-je – Lune

Lune, ô dilettante ....,
À tous les climats ....,

Tu vis hier ....,
Et les remparts de ....,

Les fjords bleus de la ....,
Les pôles, les mers, ... ?

Jules Laforgue, Complainte de la lune en province.

▷ **JE RETIENS**

Vers, strophes et rimes

L'extrait poétique ci-dessus comporte six vers et trois strophes : les **vers** commencent par une majuscule et sont **regroupés en strophes**. Une **rime** est la répétition d'un **même son** en fin de vers.

2 OBSERVATION Placez des barres verticales pour séparer chaque syllabe. Utilisez l'exemple des premiers vers.

Recette
Pre/nez / un / toit / de / vieil / les / tuiles
Un / peu / a/vant / mi/di.
Pla/cez / tout / à / cô/té
Un tilleul déjà grand
Remué par le vent,

Mettez au- dessus d'eux
Un ciel de bleu, lavé
Par les nuages blancs

Laissez-les faire
Regardez-les.

Guillevic, « Recette », Avec, © éd. Gallimard.

▷ **JE RETIENS**

Syllabes et noms des vers

Une **syllabe** est un groupe de **sons prononcés ensemble**. Le nom du vers dépend du nombre de syllabes : un vers de **dix** syllabes se nomme **décasyllabe** (*déka* = dix, en grec), **huit** un **octosyllabe**, **six** un **hexasyllabe**, etc. Le vers de **douze** syllabes, très courant, se nomme l'**alexandrin**.

3 HOMONYMES Inventez la suite de cet extrait poétique en utilisant des homophones de *vert* (*vair – verre – vers*).

Il y a le vert du cerfeuil
Et il y a le ver de terre

....
....
....
....

Maurice Carême, Le Mât de Cocagne,
© Fondation Maurice Carême.

▷ **JE RETIENS**

Les jeux sur les mots et les sons

Les poètes jouent beaucoup avec la langue et utilisent :
– les **homonymes** : « *Je hais les haies qui sont des murs.* » (R. Devos, *Sens dessus dessous*)
– les **paronymes** : « *Où résida le réséda ? / Résida-t-il au Canada ?* » R. Desnos, *Chantefables et Chantefleurs*)
– les **néologismes** : « *Tu m'enveuves noire / Je cafarde je tarentule.* » (J. Brière, *Pinpanicaille*)
– les **jeux de mots** : « *Le crocodile croque Odile.* [...] *D'aucuns disent qu'Alligue a tort.* » (J. Cocteau, *Le Potomak*)

4 LE MOT DANS SON CONTEXTE Retrouvez le son qui a été systématiquement coupé dans cet extrait.

Un ....ou se prenant pour un ....at
Lé..........ant son museau mousta..........u,
sa bedaine de pa..........a,
à ses feuilles s'arra..........a,
pour prouver que sous son pon..........o
couleur d'arti..........aut,
son pelage était doux et ....aud.

Charles Dobzynski, Les choses n'en font qu'à leur tête,
© éd. Cadex.

▷ **JE RETIENS**

Allitérations et assonances

Une **allitération** est la **répétition d'une ou plusieurs consonnes** : « *Pour qui sont ces serpents qui sifflent sur vos têtes ?* » (J. Racine)
Une **assonance** est la **répétition d'une ou plusieurs voyelles** : « *Et la mer et l'amour ont l'amer pour partage.* » (P. de Marbeuf)

5 RACINES **Complétez chaque nom de strophe par le radical qui convient. Aidez-vous des mots en gras.**

quatr-, siz-, di-, ter-, quint-, diz-

nombre de vers	nom de la strophe
deux vers	...........stique
trois vers	.............cet
quatre vers	.................ain
cinq vers	il
six vers	.............ain
dix vers	.............ain

6 RÉVISION **Lisez cet extrait de poème puis complétez le texte à l'aide des mots suivants.**

hexasyllabes – vers – ponctuation – syllabes –
strophes – distiques

Pour construire un poème
Il faut briser le temps

Il faut prendre les mots
Dans un autre panier

Écouter les épées
Des oiseaux de l'aurore

> Georges Jean, *Les Mots du ressac*, © Seghers, 1975.

Cet extrait est composé de trois .... de deux .... chacune, que l'on appelle des ....

Chaque vers comporte six .... : ce sont donc des ....

On ne trouve aucune .... à la fin des vers.

7 RÉVISION **Entourez le terme qui convient pour respecter le nombre de syllabes indiqué avant chaque vers. Prononcez tous les -e muets.**

a. Douze syllabes :
Je voudrais aujourd'hui écrire de beaux *poèmes* / *vers* / *romans*. (R. Desnos)

b. Douze syllabes :
La terre est assoupie en sa robe *de feu* / *d'eau* / *d'automne*. (Ch. Leconte de Lisle)

c. Dix syllabes :
La rivière court, le *tuyau* / *nuage* / *cerf* fuit. (V. Hugo)

d. Huit syllabes :
Ton cœur est plus grand que *l'océan* / *le mien* / *l'éléphant* (P. Verlaine)

8 RÉVISION **Indiquez sur quelles sonorités sont fondées les allitérations et assonances suivantes.**

a. La Seine a de la chance elle n'a pas de soucis elle se la coule douce. (J. Prévert, *Chanson de la Seine*)

→ Allitération en ....

b. Elle s'en va vers la mer / en passant par Paris. (J. Prévert, *Chanson de la Seine*)

→ Assonance en .... et allitération en ....

c. Elle rage, râle et rogne, / Elle gronde, gifle et grogne. (P. Coran, *La Libellule*)

→ Allitération en .... et en ....

d. Ce sera l'assassinat des roses… (A. Sodenkamp, *Le Jardin*)

→ Assonance en .... et allitération en ....

e. Paris a mis de vieux vêtements de vieille (P. Éluard, *Au rendez-vous allemand*)

→ Allitération en ....

f. Lève, Jérusalem, lève ta tête altière (J. Racine, *Athalie*)

→ Assonance en ....

Expression

9 **Voici quelques vers d'un poème de Robert Desnos. Inventez la suite en respectant la rime et, si possible, le nombre de syllabes.**

> Le Capitaine Jonathan,
> Étant âgé de dix-huit ans
> Capture un jour un pélican
> Dans une île d'Extrême-Orient,

> Robert Desnos, « Le Pélican de Jonathan »,
> *Chantefables et Chantefleurs*, © éd. Gründ, 1980.

10 **Dans son *Petit Fictionnaire illustré* (éditions du Seuil, 1981), A. Finkielkraut invente des « mots valises » en collant deux mots aux sons proches, puis en donne la définition.**

Chatrouiller : avoir une peur déraisonnable des guilis.

Rhinoféroce : gros mammifère corné et connu pour son extrême méchanceté dès qu'il attrape un rhume.

Inventez à votre tour trois nouveaux mots puis donnez leur définition.

11 **Réécrivez le poème de l'exercice 9 en remplaçant le prénom « Jonathan » par « Robert » ou par « Pedro ». Vous devrez modifier toutes les rimes ainsi que quelques vers trop difficiles à adapter.**

J'observe et je retiens

1 OBSERVATION Dans chaque liste, entourez le personnage ou le lieu qu'on ne trouverait pas dans un conte traditionnel.

a. un oiseau – un prince – un magicien – un pompier

b. un footballeur – un orphelin – une fée – une sorcière

c. une marraine – un pilote – une porte – un ours

d. une fontaine maléfique – un château de cristal – un hôtel 4 étoiles – un puits enchanté

e. une licorne – un dragon – un mage – un martien

▶ JE RETIENS

Le merveilleux

Dans les contes, on trouve des **humains presque comme les autres** mais également des **monstres** et des **personnages extraordinaires**, qui appartiennent à ce qu'on appelle le **merveilleux**. Au **cinéma** et en **littérature**, le merveilleux porte le nom de *fantasy*, dont un des exemples les plus célèbres est *Le Seigneur des Anneaux* de Tolkien.

2 FAMILLE Complétez les phrases suivantes par des mots de la famille de *conte*.

a. Dis, Mamie, tu me .... une histoire de ta jeunesse ?

b. La belle Shéhérazade est la .... des *Mille et Une Nuits*.

c. Au Moyen Âge, le soir, à la veillée, on .... des histoires et des légendes.

3 SYNONYMES Entourez, dans la liste suivante, les mots qui sont des synonymes de *raconter*.

déduire – définir – trouver – narrer – conter – dessiner – exposer – retracer – ajouter – relater

▶ JE RETIENS

Conte, conter, conteur

Conte, *compte*, *comte* sont des **homophones** à ne pas confondre. Pourtant, *conter* et *compter* ont la même origine latine : *computare*, signifiant *calculer* ! Quant au nom *conteur*, il désigne un auteur de contes, mais surtout celui qui raconte oralement une histoire.

4 LE MOT DANS SON CONTEXTE Lisez le texte puis complétez chaque définition à l'aide des mots en gras.

Il était une fois une **veuve** qui avait deux filles : l'**aînée** lui ressemblait si fort […] que, qui la voyait, voyait sa mère. […] La **cadette**, qui était le vrai portrait de son père pour la douceur et l'honnêteté, était avec cela une des plus belles filles qu'on eût su voir.

Charles Perrault, *Les Fées*.

a. la plus jeune des enfants : ....

b. la plus âgée des enfants : ....

c. dont le mari est mort : ....

▶ JE RETIENS

Le cadet, la cadette

C'est celui ou celle qui nait après l'ainé. Dans les contes, on peut rencontrer deux synonymes : *puiné(e)*, terme plus ancien, et *benjamin(e)*, plus précis (le plus jeune de la fratrie).

5 CULTURE Associez chaque personnage de conte à son habitat.

un bucheron ●   ● un château

une reine ●   ● une chaumière

un dragon ●   ● une cabane

une pauvresse ●   ● un antre

un seigneur ●   ● un manoir

▶ JE RETIENS

La chaumière

C'est une maison rurale au toit couvert de **chaume** (paille). Elle est simple mais n'est pas misérable et délabrée comme la **masure** ou rudimentaire et provisoire comme la **cabane**.

6 LE MOT DANS SON CONTEXTE **Lisez ce texte, puis reliez chaque nom en gras à sa définition.**

a. Jadis, un somptueux **palais** se dressait sur cette montagne. Un frère et une sœur se partageaient le trône, et ces deux **souverains** étaient très aimés.

b. Pour faire connaissance, le **seigneur** que l'on surnommait La Barbe Bleue invita les deux filles d'une **dame** du voisinage dans un de ses **manoirs** à la campagne.

un palais ●   ● un noble de haut rang
un souverain ●   ● un château luxueux
un seigneur ●   ● une femme noble
une dame ●   ● un châtelet rural
un manoir ●   ● un roi ou un prince

7 CULTURE **Reliez chaque phrase au personnage de conte qui lui correspond.**

gros et laid, je mange des enfants ●

je hais les enfants de la première femme de mon mari ●   ● un prince

belle ou laide, je fais le mal autour de moi ●   ● un ogre

    ● une marâtre

je vis dans la misère et le malheur ●   ● une pauvresse

    ● une sorcière

je suis souvent beau, fort et courageux ●

8 SUFFIXE **Transformez chaque mot en nom féminin en utilisant le suffixe -esse.**

Ex. : un prince → une princesse

a. un ogre → une ....
b. un enchanteur → une ....
c. un pauvre → une ....
d. un comte → une ....
e. un duc → une ....
f. un prêtre → une ....

9 CULTURE **Reliez chaque nom de personnage à son identité.**

Cendrillon ●   ● un marin
Carabosse ●   ● une souillon
Baba Yaga ●   ● un enchanteur
Merlin ●   ● un pantin de bois
Pinocchio ●   ● une fillette
Le Chaperon rouge ●   ● une sorcière
Ali Baba ●   ● un coupeur de bois
Sinbad ●   ● une fée malfaisante

10 RÉVISION **Complétez chaque définition à l'aide des mots suivants.**

cadet(te) – ainé(e) – veuf – orphelin(e) – veuve

a. qui n'a plus de parents : ....
b. l'enfant le plus âgé : ....
c. qui a perdu son mari : ....
d. qui a perdu sa femme : ....
e. l'enfant le plus jeune : ....

11 RÉVISION **Complétez le texte à l'aide de synonymes.**

Jadis, un **roi** (..) organisait des bals fastueux dans son splendide **château** (................................). Mais un jour, vexé de n'être pas invité, un **mage** (................................) lança un sortilège qui transforma tous les **gentilshommes** (......................................) en prestes criquets et leurs **épouses** (..............................) en vives sauterelles. Un pauvre bucheron, qui vivait dans une modeste **chaumière** (..............................), retrouva son **repaire** (........................) et le punit. En récompense, le roi lui donna la main de sa **fille puinée** (..............................) mais s'abstint d'organiser un bal.

Expression

12 **Décrivez, en utilisant le vocabulaire du conte et de la magie, le lieu représenté sur cette image en précisant le métier, les habitudes, etc. de celui ou de celle qui y habite.**

« Château éclairé », dessin de Victor Hugo, XIXᵉ s., musée Victor Hugo, Paris.

30 Le conte : objets et sortilèges

J'observe et je retiens

1 OBSERVATION Dans chaque liste, entourez l'objet ou la situation qu'on ne trouverait pas dans un conte traditionnel.

a. une épée parlante – un mixeur – un tapis volant – une baguette magique

b. une panne d'essence – une apparition soudaine – une prophétie – un sortilège

c. une calèche – un carrosse – un train – un dragon

d. un abandon – une trahison – une poursuite – une explosion

2 SYNONYMES Reliez chaque verbe à son synonyme.

ensorceler ●   ● charmer
pétrifier ●   ● enchanter
transformer ●   ● statufier
envouter ●   ● métamorphoser

JE RETIENS

Le verbe *enchanter*
Ce verbe vient du latin *incantare* qui signifie « **chanter des formules magiques** ». De nos jours, c'est un sens affaibli qui est principalement utilisé : « **causer un vif plaisir** ». Ses **synonymes** magiques sont nombreux et permettent d'éviter de répéter « lancer / jeter un sort. »

3 SUFFIXES Complétez chaque mot de la famille de *sort* par le suffixe qui convient.

a. Baba Yaga, vieille femme cruelle, est la sorc........... des contes russes.

b. Au Moyen Âge, les personnes accusées de sorcell........ étaient brulées.

c. Le regard ensorce............. de la créature nous fascinait et nous empêchait de bouger !

d. Paralysé et muet, il semblait sous le coup d'un terrible ensorcell............... .

e. La magicienne lança un sorti............ qui redonna sa forme humaine au prince.

JE RETIENS

Sort et *sorcière*
Les mots de cette famille, très présente dans les contes, ont pour radical *sor(c)-* et viennent du mot latin *sors*, **hasard**, **destin**.

4 SUFFIXES Complétez chaque mot en gras par le suffixe qui convient.

a. Le cobra était **envout**.......... par la mélodie du charmeur de serpents.

b. Le garde était endormi, victime d'un **envout**..............

c. Les sirènes ont des voix **envout**................. .

d. Merlin l'**enchant**............. vivait en Bretagne.

e. Comme par **enchant**................. , il disparut.

f. Le héros pénétra dans la forêt **enchant**..........., où les arbres pouvaient parler.

g. Le **charm**............. de serpents joue de la flute.

h. Le loup était **charm**.......... par la mélodie de l'enchanteresse.

i. Le prince **charm**............. sauva la princesse captive.

JE RETIENS

***Envoutant* ou *envouté* ?**
Les adjectifs verbaux en *-ant* (*envoutant, ensorcelant, charmant*) qualifient ce qui **accomplit** une action. Les participes passés en *-é* (*envouté, ensorcelé, charmé*) qualifient ce qui **subit** une action.

5 PRÉFIXES Complétez les mots en utilisant le préfixe qui convient.

a. Belle, vive et aimable, la princesse faisait le ....heur de ses parents. Quelle ....diction d'avoir une telle enfant chez soi !

b. Sept marraines-fées, ...veillantes et ....faisantes, se penchèrent sur le berceau de la princesse pour lui accorder de merveilleux dons.

c. Mais, par malheur, on oublia d'inviter une vieille fée ....veillante qu'on croyait morte.

d. Vexée, celle-ci, fort ....faisante, lança une ....diction sur la petite princesse.

JE RETIENS

Les préfixes *mal-, -malé/bien-, béné-*
Il suffit parfois de modifier le **préfixe** d'un mot pour en faire son **contraire** : *honnête/malhonnête, malfaiteur/bienfaiteur, maléfique /bénéfique.*

6 `LE MOT DANS SON CONTEXTE` **Lisez ce texte, puis complétez la légende de chaque image à l'aide des mots en gras.**

Vocabula, la malfaisante sorcière des marais, saisit sa **cassette** qui ne s'ouvrait qu'avec le **talisman** qu'elle portait autour du cou. Elle en sortit son **grimoire** magique et le feuilleta nerveusement pour retrouver la recette du **philtre** d'amour qu'elle comptait faire boire au prince Kevin. Un vieux **parchemin** jauni et rongé par l'humidité tomba du grimoire, voleta quelques instants puis plongea dans le grand **chaudron** de cuivre où bouillonnait l'eau des marais. « Malédiction ! Ma recette ! »

une ....   un ....

un ....

un ....

un ....

un ....

7 `LE MOT DANS SON CONTEXTE` **Reliez chaque verbe au complément qui convient.**

Elle fit ●   ● un grimoire pour y trouver une recette.

Elle prépara ●   ● un maléfice au prince.

Elle consulta ●   ● une prédiction pour voir l'avenir.

Elle décrypta ●   ● un philtre d'amour.

Elle jeta ●   ● un parchemin pour le comprendre.

8 `RACINES` **Reliez chaque formule magique de *Harry Potter* de J.-K. Rowling avec son effet. Aidez-vous des racines des mots.**

confundo ●   ● sort de pétrification (on devient une statue de pierre)

collaporta ●   ● sort de lévitation (on peut voler)

bombarda maxima ●   ● sort de confusion (on est étourdi)

duro ●   ● sort de verrouillage (les portes se ferment)

silencio ●   ● sort d'explosion

wingardium leviosa ● ● sort de mutisme (on ne peut plus parler)

9 `RÉVISION` **Complétez le texte à l'aide des mots suivants.**

sorts – grimoire – talisman – philtre – malfaisante – chaudron – cassette – parchemin – maléfique

La .... sorcière décida de préparer un .... d'amour. Pour cela, il lui fallait consulter son .... qui contenait toutes les recettes de sa .... famille. Elle se dirigea donc vers sa .... fermée à clé, sortit le livre et commença à lire le .... Avant de commencer, elle mit à son cou le .... qui la protègerait des mauvais ...., puis se mit à mélanger les ingrédients dans son ....

10 `RÉVISION` **Complétez chaque phrase par le verbe qui convient.**

a. Prenez garde ! Le regard intense de ce mage va vous ....

b. La fée résolut de .... l'ogre pour qu'il ne puisse plus bouger. Elle l'immobilisa d'un seul coup de baguette.

c. Une fée maladroite voulut aider le prince à devenir plus fort mais c'est en loup qu'elle finit par le ....

Expression

11 **À la première personne, écrivez une page du journal intime d'une sorcière. Elle y indiquera ses maléfices, ses victimes et les objets magiques utilisés.**

31 Les personnages de la Bible

J'observe et je retiens

1 OBSERVATION Complétez chaque phrase à l'aide des mots suivants, de la famille du mot *bible*.

bibliographie – bibliobus – bibliothécaire – bibliophile

a. Un .... aime les livres rares.

b. Le véhicule aménagé en bibliothèque qui va de village en village est un ....

c. Une .... est une liste de livres qui concernent tous un même sujet.

d. Sonia est ....à Toulouse.

> **JE RETIENS**
>
> **La Bible**
> Ce mot vient du **grec** *biblia* « livres » ; la Bible regroupe plusieurs livres écrits entre le xiie siècle avant J.-C. et le iie siècle après J.-C. On distingue l'**Ancien Testament** (début du monde et temps des prophètes) du **Nouveau Testament** (vie de Jésus).

2 RACINES Reliez chaque mot à sa signification. Aidez-vous des racines indiquées.

prophète – apôtre – chérubin – idole – messie

a. enfant jeune et beau (de l'hébreu *kerūbim*, « ange ») : ....

b. personne très attendue (de l'hébreu *māšîah* « oint », « libérateur ») : ....

c. homme choisi parmi des disciples (du grec *apostolos*, « envoyé ») : ....

d. personne admirée (du grec *eidôlon* « image », statue d'une divinité) : ....

e. homme qui révèle et transmet la volonté divine (du grec *prophêtês*, « devin prédisant l'avenir ») : ....

> **JE RETIENS**
>
> **Les langues de la Bible**
> Certains mots encore utilisés aujourd'hui sont **issus de la Bible** et viennent de l'**hébreu** ou du **grec**. L'Ancien Testament était écrit en **hébreu**, en **araméen** et en **grec**. Quant au Nouveau Testament, il a été écrit entièrement en grec.

3 LE MOT DANS SON CONTEXTE Lisez les phrases puis complétez chaque expression à l'aide des adjectifs suivants.

attendu – fort – incrédule – pauvre – vieux – pleurer

a. Mathusalem aurait vécu 969 ans.
→ .... comme Mathusalem

b. Job perdit toutes ses richesses sans perdre sa foi.
→ .... comme Job

c. Marie-Madeleine lava les pieds de Jésus de ses larmes.
→ .... comme une Madeleine

d. Le Messie est le libérateur envoyé par Yahvé.
→ .... comme le Messie

e. Samson possédait une grande force physique.
→ .... comme Samson

f. Saint Thomas ne croyait que ce qu'il voyait.
→ .... comme Saint Thomas

> **JE RETIENS**
>
> **« Vieux comme Hérode »**
> **Hérode, roi de Judée** du ier siècle avant J.-C., n'a vécu que soixante-neuf ans ! Cette expression signifie : « assez vieux pour remonter au temps d'Hérode ».

4 CULTURE Reliez chaque personnage biblique à son identité.

Adam •
Noé •
Moïse •
Salomon •
Judas •
Ponce-Pilate •

• patriarche survivant du Déluge
• préfet romain de Jérusalem
• premier homme créé par Yahvé
• apôtre qui trahit Jésus
• prophète qui reçoit les tables de la Loi
• roi des Hébreux

> **JE RETIENS**
>
> **David contre Goliath**
> Un jeune berger, le futur roi **David**, fut envoyé pour combattre **Goliath**, champion des ennemis des Hébreux. Contre toute attente, l'adolescent abattit le géant à l'aide d'une simple fronde. Aujourd'hui encore, l'expression « **David contre Goliath** » désigne un combat entre deux adversaires de forces très inégales.

5 CULTURE **Complétez chaque définition à l'aide des expressions bibliques suivantes. Aidez-vous si nécessaire d'un dictionnaire.**

bon Samaritain – Judas – brebis égarée – pasteur – benjamin – bouc émissaire

a. berger responsable de ses brebis

➜ ....

b. animal perdu que le bon berger part rechercher

➜ ....

c. animal envoyé dans le désert, chargé de toutes les fautes du peuple hébreu

➜ ....

d. dernier des douze enfants du patriarche Jacob

➜ ....

e. apôtre qui trahit Jésus en l'embrassant pour mieux le désigner à ses bourreaux

➜ ....

f. voyageur de Samarie, qui offrit son aide à un inconnu laissé à demi-mort par son agresseur

➜ ....

6 CULTURE **Complétez chaque phrase à l'aide des expressions données dans l'exercice précédent.**

a. La personne sur laquelle on fait retomber les torts d'un groupe est un ....

b. Le plus jeune des enfants dans une famille est le ....

c. Le chef spirituel d'un groupe de personnes est le ....

d. La personne charitable qui aide spontanément autrui est un ....

e. La personne dont le comportement est considéré comme anormal est une ....

f. Un traître est également appelé un ....

7 LE MOT DANS SON CONTEXTE **Complétez chaque phrase à l'aide des mots suivants. Aidez-vous des expressions en gras.**

tenue – jugement – arche – baiser – pomme

a. Avant de le trahir, il lui donna une fausse marque de tendresse, le .... **de Judas.**

b. Elle a nommé son **refuge pour animaux** de toutes sortes « L'........................... de Noé ».

c. En prononçant un verdict plein de sagesse, le **tribunal** a rendu un .... de Salomon.

d. La partie saillante du cou des hommes est appelée .... **d'Adam.**

e. Ma fille, trop petite pour être gênée par sa **nudité,** se balade souvent en .... d'Ève.

8 RÉVISION **Complétez le texte à l'aide des mots et expressions suivants.**

messie – bon Samaritain – Job – Madeleine

Pauvre comme .... , je passais mes journées à pleurer comme une .... Le .... qui m'aiderait enfin à m'en sortir, je l'attendais tous les jours comme le ....

9 RÉVISION **Complétez les phrases à l'aide des mots et expressions suivants.**

chérubin – idole – bouc émissaire – madeleine – messie – Samson

a. Cet acteur célèbre est attendu comme le .... par ses admiratrices : elles n'attendent que l'arrivée de leur .... pour hurler son nom.

b. Léa pleure comme une .... car nous avons perdu nos valises. Elle a décidé de se trouver un .... qu'elle accuse de tous les maux : moi !

c. Ton petit .... a l'air adorable et je suis certaine que, plus tard, il sera fort comme ....

Expression

10 **Cherchez dans un dictionnaire l'identité de cinq personnages bibliques de la liste.**

Inventez ensuite une comparaison pour chacun d'eux, en expliquant pourquoi vous l'avez associé à l'adjectif choisi.

Jonas – Noé – Abraham – Moïse – Caïn – Isaac – David – Rachel – Judith – Salomé

J'observe et je retiens

1 OBSERVATION Complétez les phrases à l'aide des mots suivants, de la famille de *croix*.

croisade – croisement – crucial – crucifix – crucifixion – cruciforme – cruciverbiste

a. Au Moyen Âge, de nombreux chevaliers sont partis en .... en Terre Sainte.

b. Paul est arrivé à un moment ....de sa vie.

c. Léa a besoin d'un tournevis ....

d. Il y a des embouteillages à ce ....

e. Ma grand-mère adore les mots croisés ; c'est une .... confirmée.

f. Le mur était décoré d'un .... en bois.

g. Ce tableau représente la .... du Christ.

> **JE RETIENS**
> **Le mot *croix***
> Ce mot (du latin *crux*, *crucis*) désigne à l'origine un **gibet** en forme de croix sur lequel on attachait les **condamnés**. C'est le **symbole du christianisme**, comme le croissant de lune est celui de l'islam.

2 SUFFIXES Transformez chaque nom en adjectif. Pour cela, ajoutez le suffixe qui convient.

-aque, -ique, -este, -al, -ien

a. Bible → bibl...

b. Satan (chef des démons) → satan.............................

c. Apocalypse (fin du monde) → apocalypt..................

d. Éden (jardin d'Adam et Ève) → édén.........................

e. Paradis → paradisi...

f. Enfer → infern...

g. Diable → diabol...

h. Déluge (quarante jours de pluie) → diluv..................

i. Ciel → cél..

> **JE RETIENS**
> **Le mot *paradis***
> En persan, ce mot voulait dire « parc » ; il désigne au départ le **jardin des délices** (« jardin d'Éden »). Il a ensuite évoqué le **royaume divin**, séjour des âmes justes, puis, dans un sens non religieux, un **endroit très agréable**.

3 RACINES Complétez chaque définition à l'aide des mots suivants. Aidez-vous des racines indiquées.

apocalypse – exode – genèse – tohu-bohu

a. catastrophe massive et violente (du grec *apokalupsis*, « révélation », dernier livre du Nouveau Testament) : ....

b. création d'une œuvre (du grec *genesis*, « origine », récit de la Création dans la Bible) : ....

c. brouhaha, vacarme (de l'hébreu *tohû webohû*, « le chaos », l'état des premiers temps) : ....

d. départ d'un peuple (du grec *exodos*, « action de sortir », livre de la Bible racontant la fuite des Hébreux) : ....

4 CULTURE Complétez chaque définition à l'aide des noms de lieux bibliques suivants. Aidez-vous des indications entre parenthèses.

septième ciel – calvaire – terre promise – capharnaüm

a. épreuve longue et douloureuse (traduction de *Golgotha*, lieu où Jésus fut crucifié) : un ....

b. bonheur intense (séjour de Dieu et des Bienheureux) : le ....

c. lieu idéal pour s'installer (Terre d'Israël promise à Abraham et aux Hébreux) : la ....

d. lieu très désordonné (nom d'une ville de Galilée où Jésus séjourna) : un ....

5 CULTURE Complétez chaque expression à l'aide des noms de lieux suivants. Aidez-vous des épisodes bibliques donnés entre parenthèses.

Babel – Égypte – Éden – désert

a. un éloignement du pouvoir (comme Moïse et les Hébreux) : une traversée du ....

b. un lieu paradisiaque (comme le séjour d'Adam et Ève avant le péché originel) : un jardin d'...............................

c. une série de catastrophes (comme les punitions de Dieu infligées à Pharaon) : les dix plaies d'...................

d. un lieu où règne la confusion (comme ce qui causa la diversité des langues) : la tour de ....

6 **CULTURE** Complétez chaque phrase à l'aide des mots suivants. Aidez-vous des épisodes bibliques donnés entre parenthèses.

pierre – mains – perles – croix – calvaire – vaches

a. vivre une difficile épreuve (comme Jésus sur le Golgotha) → subir un ....

b. se dégager de toute responsabilité (comme Ponce Pilate) → s'en laver les ....

c. critiquer ou accuser quelqu'un (comme l'antique châtiment par lapidation) → jeter la ....

d. traverser une période de ralentissement économique (comme Pharaon et les Égyptiens) → traverser une période de .... maigres

e. supporter ses souffrances (comme Jésus l'a fait) → porter sa ....

f. donner quelque chose à une personne incapable d'en apprécier la valeur (comme Jésus face aux mécréants) → jeter des .... aux pourceaux

7 **CULTURE** Reliez chaque expression ou proverbe tiré de la Bible à sa signification.

nul n'est prophète en son pays ● → ● reconnaitre à quelqu'un ce qui lui revient de droit

œil pour œil, dent pour dent ● → ● il est difficile d'être reconnu et apprécié parmi les siens

voir la paille dans l'œil de son voisin et ne pas voir la poutre dans le sien ● → ● se venger en rendant la pareille (loi du Talion)

rendre à César ce qui est à César ● → ● reprocher aux autres leurs défauts sans jamais voir les siens

8 **CULTURE** Reliez chaque expression issue d'un épisode biblique à son synonyme.

croquer la pomme ● → ● répandre une nouvelle

être le sel de la terre ● → ● créer la discorde

semer la zizanie ● → ● parler sans être écouté

crier sur les toits ● → ● céder à la tentation

se voiler la face ● → ● refuser la réalité

prêcher dans le désert ● → ● être bon et utile à autrui

9 **SENS** Entourez le mot qui convient pour reconstituer l'expression d'origine biblique. Aidez-vous si nécessaire d'un dictionnaire.

a. Je croquerais bien **le fruit** *défendu/interdit* en achetant ce sac de créateur.

b. Ce parc est un *déluge/éden* **de verdure** au milieu de la ville.

c. Adam et Ève ont commis **le péché** *originel/original*.

d. Écouter ce concert jusqu'au bout a été un vrai *tohu-bohu/calvaire*.

e. Robin des Bois protège **la veuve et** *l'orphelin/l'orpheline*.

f. Au Mexique, les États-Unis sont considérés comme **une terre** *rêvée/promise*.

g. Ce dessin date d'**une époque** *post-apocalyptique/antédiluvienne*.

10 **RÉVISION** Complétez les phrases à l'aide des mots et expressions suivants.

infernale – capharnaüm – calvaire – diluvienne – édénique – paradisiaque

a. On est loin de l'île .... que vantait la brochure… Ici, on passe de la pluie .... le matin à la chaleur .... l'après-midi. Tu parles d'un endroit .... !

b. C'est toujours un .... pour convaincre Marie de ranger sa chambre, qui est un véritable

....

Expression

11 Inventez, pour chacune des expressions suivantes, une phrase qui l'illustre et l'explique.

œil pour œil, dent pour dent – rendre à César ce qui est à César – traverser une période de vaches maigres – jeter la pierre – subir un calvaire

33 Les expressions issues de la mythologie (1)

J'observe et je retiens

1 **OBSERVATION** Entourez dans ce texte les expressions qui rappellent les attributs divins du dieu des dieux, représenté par l'image ci-contre.

En touchant une peinture,
il s'est attiré les foudres
du gardien :
« Tonnerre de Zeus !
s'est écrié celui-ci.
Arrête de toucher ça ! »

Statue de Jupiter,
sculpture du IIe s. ap. J.-C.,
musée du Louvre.

> **JE RETIENS**
> **Les expressions issues de la mythologie**
> Elles peuplent encore énormément la langue française. Par exemple, « **s'attirer les foudres de quelqu'un** », qui signifie « s'attirer des reproches », provient de **Zeus** (**Jupiter chez les Romains**), le dieu du ciel lançant la foudre. De même, un **musée** est, à l'origine, un temple dédié aux déesses des arts, les **Muses**.

2 **CULTURE** Les dieux gréco-romains étaient souvent accompagnés d'un animal. Associez ici chaque oiseau à ce qu'il symbolise.

la chouette d'Athéna ●　　● le pouvoir

le cygne ●　　● la sagesse
d'Aphrodite 　　　et l'intelligence

l'aigle de Zeus ●　　● la vanité, l'orgueil

le paon d'Héra ●　　● la beauté et la grâce

> **JE RETIENS**
> **Les attributs divins**
> Chaque dieu a des attributs, **objets** ou **animaux** le représentant. L'attribut d'**Asclépios**, dieu de la médecine, le **caducée**, reste présent de nos jours : c'est le **serpent enroulé autour d'un bâton ou d'une coupe** chez les médecins et les pharmaciens.

3 **SUFFIXES** Transformez chaque nom en adjectif pour retrouver l'expression courante. Pour cela, utilisez les suffixes suivants.

-euse, -ique, -é(e), -éenne, -ien

a. Rester pétrifié(e) et sans voix, comme si on avait vu le monstre **Méduse** → être médus...............
b. Une fille aussi en colère que l'étaient les **Furies** vengeresses → une fille furi...............
c. Une peur aussi forte que si l'on avait vu **Pan**, dieu mi-homme, mi-bouc → une peur pan...............
d. Une force d'**Hercule** : une force hercul...............
e. Un calme imperturbable digne d'un dieu de l'**Olympe** → un calme olymp...............
f. Un combat que l'on pourrait trouver dans l'*Iliade* et l'*Odyssée* d'**Homère** → un combat homér...............
g. Un projet aussi irréalisable que de trouver la monstrueuse **Chimère** → un projet chimér...............

> **JE RETIENS**
> **Les Titans**
> Ancêtres des dieux grecs, ils étaient réputés pour leur **force** et leur **endurance**. On parle souvent de projets ou de travaux **titanesques**. Ils ont donné leur nom à un célèbre bateau : le *Titanic*.

4 **LE MOT DANS SON CONTEXTE** Complétez chaque phrase grâce aux mots suivants, issus de noms mythologiques.

*typhon – minerve – atlas – méduse –
talon d'Achille – flute de Pan – cheval de Troie*

a. Ma mère a été piquée par une ....
b. Dans les Andes, on joue de la ....
c. Après l'accident, Amina a porté une ....
d. Un recueil de cartes géographique est un ....
e. Mes données ont été piratées car mon ordinateur a été infiltré par un ....
f. Kevin a un caractère heureux mais il est très susceptible : c'est son ....

> **JE RETIENS**
> **Le talon d'Achille**
> La mère d'Achille le plongea dans le **Styx**, fleuve des Enfers, afin de le rendre **invulnérable**. Seul le **talon**, par lequel elle tenait le bébé, ne fut pas mouillé : c'était sa seule **faiblesse** !

5 **LE MOT DANS SON CONTEXTE** **Lisez ce texte, puis complétez les phrases ci-dessous grâce aux mots en gras.**

Les mythes grecs comportent de nombreux lieux légendaires. Par exemple, le **Pactole** était une rivière chargée d'or. Les **Champs-Élysées** étaient le séjour des morts heureux dans les Enfers grecs. **Dédale** construisit un labyrinthe.

Puisque j'ai touché le .... à la loterie, j'ai décidé de m'offrir un petit séjour à Paris. Hélas, avant d'arriver sur les .... , je me suis égarée dans le .... des couloirs du métro.

6 **LE MOT DANS SON CONTEXTE** **Lisez ce texte puis complétez les trois expressions à l'aide des noms en gras.**

Les dieux étaient cruels envers les mortels : en voici trois exemples. Haï de Junon, **Hercule** dut accomplir douze travaux considérés comme insurmontables. **Tantale** avait été condamné à demeurer sous un arbre fruitier au bord d'une rivière : chaque fois qu'il voulait manger ou boire, la branche se relevait et l'eau se retirait. **Stentor** criait aussi fort que cinquante hommes mais fut tué par Hermès.

a. Réussir une tâche presque impossible

→ accomplir un travail d'..

b. Parler avec force et puissance

→ avoir une voix de ....

c. Ne pas obtenir ce que l'on désire, pourtant si proche

→ subir le supplice de ....

7 **RÉVISION** **Entourez dans chaque phrase le terme qui convient.**

a. Cette recherche de longue durée représente un travail *titanesque/titanique*.

b. Quelles que soient les circonstances, le professeur reste toujours d'un calme *olympique/olympien*.

c. Le métro parisien est un vrai *dédale/atlas*.

d. Pedro va aux jeux *Olympiques/olympiens*.

e. Tu lui ressembles tant ! Tu es son *mentor/sosie* !

f. N'attends pas ! Tu perds du temps ! Ne joue pas les *Pénélope/Cassandre* !

g. Roxane a gagné au loto le *typhon/pactole*.

h. En comprenant cette blague, Louis est gagné par un rire *homérique/chimérique*.

8 **RÉVISION** **Complétez cette grille de mots croisés grâce aux termes appris dans les exercices précédents.**

Définitions :

1. Homme d'une très grande beauté
2. Grosse somme d'argent
3. Homme d'une grande force physique
4. Femme très en colère
5. Homme à la voix très forte
6. Labyrinthe

Expression

9 À la naissance d'un bébé, un oracle d'Apollon fait une prédiction sur ce qu'il sera ou fera plus tard. Imaginez cette prédiction en utilisant des expressions issues de la mythologie.

34 Les expressions issues de la mythologie (2)

J'observe et je retiens

1 **OBSERVATION** Observez les images, puis complétez les phrases ci-dessous.

Furies
Oreste poursuivi par les Furies, W. Bouguereau, 1862, musée Chrysler, Virginie.

Apollon
Plaque de marbre, IIe s. av. J.-C., Musée archéologique du Pirée.

Morphée
Sculpture de J.-A. Houdon, 1777, musée du Louvre, Paris.

a. J'ai rêvé de toi la nuit dernière, alors que j'étais dans les bras de ....

b. Qu'il est beau, cet acteur, un vrai .... !

c. Sophie est entrée en criant comme une ....

▶ JE RETIENS

Les personnages de la mythologie
De nombreux personnages sont à l'origine de mots et d'expressions. Par exemple, l'une des Furies est encore célèbre, puisque son nom, passé dans le langage courant, désigne une femme peu sympathique : **Mégère** ! Ce mot signifiait *haine*, en grec ancien.

2 **CULTURE** Cochez la case correspondant à la bonne définition de chaque expression issue de l'*Odyssée*. Aidez-vous si nécessaire d'un dictionnaire.

a. Avoir une voix de sirène, c'est :
☐ avoir une voix aigüe
☐ avoir une voix séduisante
☐ chanter d'une voix très forte

b. Écouter le chant des sirènes, c'est :
☐ écouter de la musique douce
☐ tomber à l'eau
☐ succomber à une tentation

c. Vivre une odyssée, c'est :
☐ subir un long et difficile périple
☐ faire un voyage en avion
☐ lire un gros livre ennuyeux

d. Tomber de Charybde en Scylla, c'est :
☐ aller de catastrophe en catastrophe
☐ faire naufrage
☐ se perdre par inattention

▶ JE RETIENS

Les expressions issues de l'*Odyssée*
Cette **épopée** grecque du VIIIe **siècle** avant notre ère est attribuée à **Homère**. Elle relate le retour d'**Ulysse**, qui met dix ans pour revenir à Ithaque après la guerre de Troie.

3 **LE MOT DANS SON CONTEXTE** Complétez chaque définition à l'aide du nom issu de l'un des personnages suivants. Aidez-vous des sens mythologiques.

Sosie – Cerbère – Mentor – Harpie

a. Un gardien très sévère (chien à trois têtes gardant les Enfers) : un ....

b. Une personne qui ressemble beaucoup à une autre (homme dont le dieu Mercure prit l'apparence exacte) : un ....

c. Une femme peu aimable (monstre à corps d'oiseau) : une ....

d. Un sage conseiller expérimenté (ami d'Ulysse et professeur de son fils) : un ....

4 **CULTURE** Retrouvez pour chaque image le personnage de la mythologie représenté.

....

Aquarelles de Peter Connolly, 1990.

....

Mosaïque du IIIᵉ s. ap. J.-C., Musée archéologique de El Djem.

....

5 **LE MOT DANS SON CONTEXTE** Lisez chaque notice mythologique puis complétez chaque expression à l'aide des noms en gras.

Pénélope, la femme d'Ulysse, lui resta fidèle pendant sa longue absence.

Pandore, trop curieuse, ouvrit le récipient qui contenait les malheurs de l'humanité.

Ariane, princesse crétoise, permit à Thésée de ne pas se perdre dans le labyrinthe du Minotaure.

Cassandre, princesse troyenne, voyait l'avenir mais fut punie par Apollon : personne ne la croyait plus.

a. Déclencher une série de grands malheurs

→ Ouvrir la boite de ....

b. Attendre patiemment le retour d'un être cher.

→ Jouer les ....

c. Prévoir constamment le pire

→ Jouer les ....

d. Trouver le moyen de se diriger dans la difficulté

→ Suivre le fil d' ....

6 **RÉVISION** Complétez chaque phrase à l'aide des expressions suivantes.

les bras de Morphée – le chant des sirènes – la boite de Pandore – de Charybde en Scylla

a. Aujourd'hui, j'ai multiplié les problèmes ! Aller dans ce centre commercial, c'était ouvrir ....

b. Puis, j'ai écouté .... en me laissant convaincre d'acheter des vêtements dont je n'ai même pas besoin.

c. Enfin, j'ai perdu mon portefeuille. Aujourd'hui, je suis vraiment tombée ....!

d. Je suis tellement fatiguée que je vais bientôt sombrer dans ....

Expression

7 Pour chaque expression, inventez une phrase qui l'illustre et l'explique à votre lecteur.

ouvrir la boite de Pandore – tomber de Charybde en Scylla – jouer les Cassandre – avoir une voix de sirène

J'observe et je retiens

1 OBSERVATION Dans ce texte, entourez les verbes qui évoquent une transformation.

Le corps de Cadmus se resserre et s'allonge ; sa peau se couvre d'écailles ; son dos brille, émaillé de reflets dorés et bleutés. Il tombe au sol, et ses jambes se réunissent et se recourbent en longs anneaux. Sa langue se fend et s'aiguise en dard ; il ne peut plus parler. Il veut se plaindre mais à la place, il siffle : c'est la seule voix qui lui reste.

Ovide, *Métamorphoses*.

▶ JE RETIENS

Ovide

C'est un poète **latin** du Ier s. av. J.-C. né près de Rome et mort en exil sur les bords de la mer Noire. Ses *Métamorphoses* reprennent les **récits de la mythologie** grecque et latine, où bon nombre d'humains sont **transformés par les dieux** en animaux ou en végétaux.

2 SUFFIXES Transformez chaque verbe synonyme de *se transformer* en nom commun.

Ex. : se transformer → transformation

a. se métamorphoser → ....
b. se changer → ....
c. évoluer → ....
d. se modifier → ....
e. se convertir → ....

▶ JE RETIENS

Le mot *métamorphose*

Il se compose de deux racines grecques qui signifient **changement** (*méta-*) de **forme** (*morph-*).

3 LE MOT DANS SON CONTEXTE Indiquez en quel animal ce personnage est transformé. Entourez ensuite les mots qui vous ont aidé(e) à trouver.

Les bras d'Ocyrrhoé s'agitent sur l'herbe, ses doigts se resserrent, ses ongles s'unissent en un sabot léger ; sa bouche s'agrandit, son cou s'allonge ; l'extrémité de sa robe devient une queue qui flotte dans le vent ; ses cheveux dénoués ne sont plus qu'une épaisse crinière.

Ovide, *Métamorphoses*.

Ocyrrhoé est transformée en ....

4 CULTURE Complétez le tableau par les équivalents de chaque partie du corps humain.
Attention ! Toutes les équivalences ne sont pas possibles.

	mains ou pieds	peau	bouche
pieuvre	....	....	....
félin	....	....	....
crocodile	....	....	....
poisson	....	....	....
arbre	....	....	
oiseau	....	....	....

5 FAMILLE Transformez chaque adjectif en verbe. **Attention aux changements de radical.**

Ex. : large → élargir

a. grand → ....
b. tendre → ....
c. souple → ....
d. rond → ....
e. gros → ....
f. mince → ....
g. vert → ....
h. noir → ....
i. rouge → ....
j. mou → ....

▶ JE RETIENS

Les verbes de transformation

La majorité d'entre eux sont construits sur un adjectif, auquel on ajoute le **suffixe** *-ir* : *bleu → bleuir*. Ils sont souvent **pronominaux** (construits avec un pronom placé avant) : *je m'affaiblis, tu t'affaiblis, il s'affaiblit...*

6 ANTONYMES **Reliez chaque mot à son contraire.**

rapetisser ●   ● durcir

s'amincir ●   ● augmenter

diminuer ●   ● grandir

maigrir ●   ● se gonfler

ramollir ●   ● grossir

7 LE MOT DANS SON CONTEXTE **Indiquez en quel animal ces personnages sont transformés. Entourez ensuite les mots qui vous ont aidé(e) à trouver.**

a. Lycaon veut parler, mais en vain : seuls des hurlements troublent le silence de la campagne. Toute la rage qu'il avait dans le cœur se concentre dans sa bouche, et, constamment affamé de carnage, il déchaine sa folie meurtrière contre les troupeaux. Ses vêtements se changent en poils, ses membres deviennent des pattes.

Ovide, *Métamorphoses.*

Lycaon est transformé en ....

b. D'un bond, les paysans de Lycie entrent dans leur nouvelle demeure aquatique. Sans honte de leur châtiment, ils exercent encore leur vilaine langue pour continuer à parler grossièrement. Mais déjà leur voix est devenue rauque, ils soufflent et leur gorge se gonfle sous l'effort, leur bouche béante se distend ; leur tête rejoint leurs épaules et leur cou disparait ; leur dos verdit ; leur ventre, qui constitue désormais la plus grande partie de leur corps, blanchit.

Ovide, *Métamorphoses.*

Les paysans sont transformés en ....

8 LE MOT DANS SON CONTEXTE **Complétez le texte à l'aide des mots suivants. Le personnage doit être transformé en araignée. N'oubliez pas de conjuguer les verbes.**

s' affiner – disparaitre – rapetisser – grossir – se réduire – devenir – s' allonger

Touchée par ce poison mortel, Arachné voit ses cheveux tomber ; son nez et ses oreilles .... ; sa tête .... ; tout son corps .... ; ses doigts .... et .... jusqu'à devenir de maigres pattes. Tout son corps .... un ventre.

D'après Ovide, *Métamorphoses.*

9 LE MOT DANS SON CONTEXTE **Complétez le texte à l'aide des mots suivants. Le personnage doit être transformé en arbre. Attention : tous les mots ne seront pas utilisés.**

cime – pieds – poitrine – rameaux – nageoires – feuillage – écorce – visage – bras – membres – cheveux – fourrure – racine – pierre – tête

Daphné sentit ses .... s'engourdir ; une .... enveloppa sa délicate .... ; un .... recouvrit ses .... ; ses .... s'allongèrent en .... ; tout à l'heure si rapides et si légers, ses .... prirent .... et s'attachèrent à la terre. La .... d'un arbre couronna sa .... Il ne lui restait plus que l'éclat de sa beauté passée.

D'après Ovide, *Métamorphoses.*

10 RÉVISION **Remplacez le verbe *(se) métamorphoser* par un synonyme. Utilisez à chaque fois un verbe différent.**

a. La chenille **se métamorphose** en papillon.

→ ....

b. Elle **s'est métamorphosée** en une belle jeune fille !

→ ....

c. Il **a métamorphosé** son mouchoir en colombe.

→ ....

d. Au fil du temps, un paysage **se métamorphose**.

→ ....

Expression

11 **Réécrivez la métamorphose de Lycaon (exercice n° 7) en un autre animal.**

12 **Racontez la métamorphose d'un ami par Jupiter, le roi des dieux. Choisissez un animal, puis utilisez les verbes qui conviennent pour transformer chaque partie de son corps en son équivalent animal.**

J'observe et je retiens

1 OBSERVATION **Lisez cet extrait, puis complétez le texte à l'aide des synonymes suivants.**

*chasseurs – comme celle – sous – très –
de la mort – grâce à*

Un cerf, **à la faveur d'**(..............................) une vigne

                fort (.....................) haute, /

Et **telle** (..............................) qu'on en voit **en de**

                (....................) certains climats, /

S'étant mis à couvert et sauvé **du trépa**s (............
                    ....), /

Les **veneurs** (...................................), pour ce coup,

         croyaient leurs chiens en faute.

Jean de La Fontaine, *Le Cerf et la Vigne*.

▶ **JE RETIENS**

Jean de La Fontaine

Cet auteur du xviiᵉ siècle, contemporain de **Louis XIV**, est surtout célèbre pour ses *Fables*. Ce **fabuliste** s'est inspiré d'auteurs antiques, comme le fabuliste grec **Ésope** et l'auteur romain **Phèdre**.

2 RACINES **Complétez chaque définition à l'aide des mots suivants, issus de la famille de *fable*.**

*fabuliste – fabulateur – affabulation –
fabuleux – fablier – fabliau*

a. Un .... est un auteur de fables.

b. Un................................. est un récit court et amusant du Moyen Âge.

c. Un .... est un recueil composé de plusieurs fables.

d. Un .... est une personne qui présente comme réels des récits imaginaires.

e. Une .... est un récit inventé de toutes pièces.

f. Un animal .... est un animal légendaire et imaginaire.

▶ **JE RETIENS**

Le mot *fable*

Il provient du latin *fabula* qui signifie « paroles, récit ». La fable est à l'origine un récit que l'on raconte à **haute voix**. Il doit donc être **court**, **divertissant** et **instructif**.

3 LE MOT DANS SON CONTEXTE **Complétez chaque expression extraite des *Fables* par l'un des adjectifs suivants.**

blanche – fort – flatteur – petit – affamé – grand

a. On a souvent besoin d'un plus .... que soi.
                           (Le Lion et le Rat)

b. La raison du plus .... est toujours la meilleure.
                        (Le Loup et l'Agneau)

c. Petit poisson deviendra ....
              (Le Petit Poisson et le Pêcheur)

d. Apprenez que tout .... vit aux dépens de celui qui l'écoute.
                     (Le Corbeau et le Renard)

e. Montrez-moi patte .... ou je n'ouvrirai point.
            (Le Loup, la Chèvre et le Chevreau)

f. Ventre .... n'a point d'oreilles.
                  (Le Milan et le Rossignol)

▶ **JE RETIENS**

« Montrer patte blanche »

Dans la fable, le loup ne peut pas montrer une patte blanche comme celle de la chèvre et repart bredouille. Cette expression, devenue **populaire**, signifie « donner un **signe de reconnaissance** pour être **autorisé à entrer dans un lieu**. »

4 SUFFIXES **Transformez chaque mot en gras en adjectif en ajoutant le suffixe qui convient. Ainsi vous retrouverez le mot utilisé dans les *Fables*.**

    Ex. : *Le lapin **plaide** sa cause devant le chat
      → c' est un lapin **plaideur**.*

a. La fourmi ne **prête** pas de grain
    → elle n'est pas ....

b. La cigale veut **emprunter** du grain
    → elle est ....

c. Le renard **flatte** ceux qu'il veut tromper
    → il est ....

d. La grenouille **envie** la taille du bœuf
    → elle est ....

e. Le corbeau a **honte** de s'être fait avoir
    → il est ....

5 **SENS** Dans chaque liste d'adjectifs qualifiant le renard, entourez l'intrus. Aidez-vous si nécessaire d'un dictionnaire.

a. rusé – futé – idiot – galant

b. madré – malin – roublard – gras

c. matois – astucieux – maigre – finaud

d. intelligent – câlin – malin – fin

6 **CULTURE** Replacez chaque nom d'animal après l'idée qu'il symbolise traditionnellement.

loup – paon – colombe – agneau – cigale – renard – chien – écureuil

a. l'insouciance → ....

b. la ruse → ....

c. l'innocence → ....

d. la prévoyance → ....

e. la paix → ....

f. l'orgueil → ....

g. la fidélité → ....

h. la cruauté → ....

7 **LE MOT DANS SON CONTEXTE** Reconstituez les morales des *Fables* devenues célèbres à l'aide des mots suivants. Aidez-vous de leur signification.

prendre – vendre – œil – mine – ciel – partir – Tiens

a. Il ne faut jamais .... la peau de l'ours qu'on ne l'ait mis à terre *(L'Ours et les deux Compagnons)* : il ne faut pas crier victoire trop vite.

b. Un .... vaut mieux que deux Tu l'auras *(Le Petit Poisson et le Pêcheur)* : il faut profiter d'une chose modeste mais sure.

c. Tel est pris qui croyait .... *(Le Rat et l' Huître)* : celui qui veut piéger est parfois piégé lui-même.

d. On se voit d'un autre .... qu'on ne voit son prochain *(La Besace)* : on voit davantage les défauts d'autrui que nos propres défauts.

e. Aide-toi, le .... t'aidera *(Le Chartier embourbé)* : avant d'appeler à l'aide, il faut tenter toutes les solutions.

f. Rien ne sert de courir, il faut .... à point *(Le Lièvre et la Tortue)* : il vaut mieux prévoir que se précipiter.

g. Garde-toi, quand tu vivras, / de juger les gens sur la .... *(Le Cochet, le Chat et le Souriceau)* : on ne doit pas juger autrui à son apparence.

8 **LE MOT DANS SON CONTEXTE** Lisez ces notices mythologiques puis complétez chaque extrait des *Fables* à l'aide d'un des noms en gras.

Cerbère : chien à trois têtes, gardien des Enfers
Hercule : héros connu pour sa force et ses douze travaux
Jupiter : dieu romain, roi des dieux et du ciel
Phénix : oiseau légendaire renaissant de ses cendres
Zéphyr : nom du doux vent de l'Ouest

a. Vous êtes le .... des hôtes de ces bois.
(Le Corbeau et le Renard)

b. Tout vous est aquilon ; tout me semble ....
(Le Chêne et le Roseau)

c. .... dit un jour : « Que tout ce qui respire S'en vienne comparaitre aux pieds de ma grandeur.
(La Besace)

d. .... , lui dit-il, aide-moi ! [...]
Ton bras peut me tirer d'ici. *(Le Chartier embourbé)*

e. Vrai .... , était craint une lieue à la ronde.
(Le Chat et un vieux Rat)

9 **SYNONYMES** Lisez les morales suivantes puis complétez chaque liste de synonymes à l'aide des noms en gras. Attention, tous les termes ne seront pas utilisés.

1. Amour, **amour**, quand tu nous tiens, / On peut bien dire: « Adieu **prudence** ». *(Le Lion amoureux)*
2. **Patience** et longueur de temps font plus que force ni que **rage**. *(Le Lion et le Rat)*
3. L'**avarice** perd tout en voulant tout gagner. *(La Poule aux œufs d'or)*
4. La **méfiance** est mère de la **sûreté**. *(Le Chat et un Vieux Rat)*
5. En toute chose, il faut considérer la **fin**. *(Le Renard et le Bouc)*

a. persévérance – constance – ....

b. circonspection – soupçon – ....

c. retenue – précaution – ....

d. résultat – aboutissement – ....

e. avidité – pingrerie – ....

Expression

10 Lisez la fable *Le Lion et le Rat* puis imaginez la suite de l'histoire. Restèrent-ils amis ?

11 Inventez une autre fable à partir de la moralité : « *On a toujours besoin d'un plus petit que soi.* » Les deux personnages seront des animaux et votre fable suivra un schéma narratif bien repérable.

J'observe et je retiens

1 **OBSERVATION** Dans cet extrait, entourez les mots rares ou inconnus puis soulignez les constructions de phrases que l'on n'emploiera plus aujourd'hui.

Le galand en eût fait volontiers un repas ;
　　Mais comme il n'y pouvait atteindre :
« Ils sont trop verts, dit-il, et bons pour des goujats. »
　　Fit-il pas mieux que de se plaindre ?

　　　Jean de La Fontaine, *Le Renard et les Raisins.*

▶ **JE RETIENS**

La langue des *Fables*

Les *Fables* ont été écrites entre 1668 et 1694. Or, au XVIIᵉ siècle, l'**ordre des mots** était différent du nôtre et, depuis, de nombreux mots ont **disparu** ou **changé de sens**. Ceci peut parfois rendre la lecture des *Fables* difficile.

2 **SYNONYMES** Reliez chaque animal à l'expression qu'utilise La Fontaine pour le désigner.

le roi des animaux ●   ● les oiseaux
la gent trotte-menu ●   ● la belette
la moutonnière créature ●   ● la mouche
la gent qui fend les airs ●   ● le lièvre
le fléau des rats ●   ● la brebis
la gent qui porte crête ●   ● les souris
la dame au nez pointu ●   ● les poules
la fille de l'air ●   ● le lion
l'oiseau de Jupiter ●   ● le chat
l'animal léger ●   ● l'aigle

▶ **JE RETIENS**

Les périphrases

Ces expressions disent en plusieurs mots ce qu'on pourrait dire en un seul. Ici, elles peuvent être **simples** (« les citoyennes des étangs » pour les grenouilles) ou d'inspiration **mythologique** (« l'oiseau de Vénus » pour la colombe).

3 **LE MOT DANS SON CONTEXTE** Lisez ces phrases puis donnez un synonyme pour chaque mot en gras.

a. Dans de nombreuses fables, le **galant** renard arrive à tromper tout le monde. → ....

b. Dans plusieurs fables, le renard et le loup sont complices et **compères**. → ....

c. Dans *Le Coq et le Renard*, un « vieux coq **matois** » arrive à tromper le renard. → ....

d. Dans *La Chauve-Souris et les deux Belettes*, l'une des belettes déteste les souris : elle est **courroucée** contre elles. → ....

e. Dans *Le Loup et le Chien*, un gros **mâtin** féroce garde les brebis. → ....

f. Dans *La Laitière et le Pot au lait*, Perrette regarde le pot au lait renversé d'un air **marri**. → ....

g. Dans *Le Corbeau et le Renard*, le renard fait croire au corbeau qu'il veut entendre son doux et mélodieux **ramage**, sûrement digne de celui d'un rossignol.
→ ....

h. Dans *Les Grenouilles qui demandent un Roi*, les grenouilles sont appelées la **gent** marécageuse. → ....

▶ **JE RETIENS**

Le mot *gent*

Ce nom, qui vient du latin *gens*, signifie *nation, peuple, espèce*. Aujourd'hui, on l'emploie plutôt pour désigner un **groupe d'individus**, comme la *gent féminine*. Son pluriel est « gens ».

4 **RACINES** Indiquez le radical sur lequel est formé le mot en gras dans chaque citation des *Fables*.

*Ex. : « Maître Renard par l'odeur **alléché** »* → *lécher*

a. Le « bouc des plus haut **encornés** »

→ ....

b. Le renard, « grand **croqueur** de poulets »

→ ....

c. Le renard « **écourté** », à la queue coupée

→ ....

d. Le héron au « bec **emmanché** d'un long cou »

→ ....

5 **LE MOT DANS SON CONTEXTE** Observez chaque image associée à un extrait des *Fables*, puis donnez un synonyme pour chaque mot en gras.

A. Delierre, XIXᵉ s., musée Jean de La Fontaine, Château-Thierry.

« Un agneau **se désaltérait**
Dans le courant d'une **onde** pure. »
(Le Loup et l'Agneau)

Huile sur toile de Rubens et F. Snyders, XVIIᵉ s.

« Ce lion fut pris dans des **rets**. »
(Le Lion et le Rat)

« Ce loup rencontre un **dogue**
aussi puissant que beau. »
(Le Loup et le Chien)

Fresque d'Andrea Mantegna (détail), XVᵉ s., Palazzo Ducale, Mantoue.

a. se désaltérer → ....

b. l'onde → ....

c. des rets → ....

d. un dogue → ....

6 **FAMILLE** Retrouvez le nom commun dont est issu chaque adjectif en gras.

Ex. : la gent marécageuse → des marécages

a. la **dindonnière** gent → ....

b. la gent **marcassine** → ....

c. la gent **aiglonne** → ....

d. la gent **ursine** → ....

e. la gent **féline** → ....

f. la gent **canine** → ....

g. la gent **lupine** → ....

7 **LE MOT DANS SON CONTEXTE** Lisez cet extrait, puis cochez la case qui correspond au sens de chaque mot en gras.

Il côtoyait une rivière.
L'**onde** était transparente ainsi qu'aux plus beaux
jours ; […]
Après quelques moments, l'appétit vint : l'oiseau,
S'approchant du bord, vit sur l'eau
Des **tanches** qui sortaient du fond de ces demeures.
Le **mets** ne lui plut pas ; il s'attendait à mieux,
Et montrait un goût **dédaigneux**,
Comme le rat du bon Horace.
« Moi, des tanches ! dit-il ; moi, héron, que je fasse
Une si pauvre **chère** ? Et pour qui me prend-on ? »

Jean de La Fontaine, *Le Héron*.

a. L'*onde* signifie :

☐ l'eau ☐ l'atmosphère ☐ la couleur

b. Les *tanches* sont :

☐ des bouts de bois ☐ des poissons ☐ des plantes

c. Un *mets* est un :

☐ élément froid ☐ poisson ☐ aliment

d. *Dédaigneux* est un synonyme de :

☐ méprisant ☐ silencieux ☐ gourmand

e. La *chère* est un synonyme de :

☐ chérie ☐ corps ☐ repas

8 **RÉVISION** Complétez cet extrait de fable à l'aide des mots suivants.

compère – désaltère – tromperie – encornés

Capitaine Renard allait de compagnie
Avec son ami Bouc des plus haut ....
Celui-ci ne voyait pas plus loin que son nez ;
L'autre était passé maître en fait de ....
La soif les obligea de descendre en un puits.
Là chacun d'eux se ....
Après qu'abondamment tous deux en eurent pris,
Le Renard dit au Bouc : « Que ferons-nous,
.... ?
Ce n'est pas tout de boire ; il faut sortir d'ici.

Jean de La Fontaine, *Le Renard et le Bouc*.

Expression

9 Créez des périphrases pour désigner les animaux suivants : les hérissons, les chats, les chouettes, les ânes, les moutons, les loups.

J'observe et je retiens

1 OBSERVATION **Dans le texte suivant, entourez les mots qui appartiennent au vocabulaire religieux.**

Avec plus de 900 millions de fidèles, l'hindouisme, surtout pratiqué en Inde, est actuellement la troisième religion dans le monde. Sans dogme central ni prophètes, il regroupe plusieurs systèmes de croyances religieuses et compte de très nombreuses divinités, comme Brahma, Vishnu et Shiva.

▶ **Je retiens**

Les prophètes

La plupart des religions ont leur **prophète**, c'est-à-dire celui qui a été **choisi** par la divinité pour transmettre sa **volonté** ou pour révéler des **vérités** cachées (Mahomet pour les musulmans, Jésus pour les chrétiens, etc.).

2 SUFFIXES **Transformez chaque verbe à l'infinitif en nom commun.**

Ex. : *se recueillir → un recueillement*

a. croire → une ....

b. prier → une ....

c. adorer → une ....

d. se convertir → une ....

e. se prosterner → une ....

3 RACINES **Reconstituez le nom qui correspond à chaque définition à l'aide des racines suivantes.**
thé(o) = *dieu* ; poly = *plusieurs* ; mono = *un seul* ;
log = *étude, science, discours*

a. Croyance en plusieurs dieux

→ .... + ...+ isme

b. Croyance en un seul dieu

→ .... + ...+ isme

c. Étude des questions religieuses

→ .... + ...+ ie

d. Spécialiste des questions religieuses

→ .... + ...+ ien

e. Qui ne croit en aucun dieu

→ a + ...+ e

4 SUFFIXES **Transformez chaque nom en adjectif ou participe passé.**

a. dieu → ....

b. religion → ....

c. laïcité → ....

d. prophète → ....

e. conversion → ....

5 SUFFIXES **Indiquez la religion qui correspond à chaque nom de croyant. Attention, deux noms n'ont pas la même racine que les termes donnés.**

croyant	religion
hindou	....
bouddhiste	....
catholique	....
musulman	....
protestant	....
juif	....

▶ **Je retiens**

Le suffixe -*isme*

Il permet de construire des noms communs et indique souvent l'appartenance à un groupe ou à un **système de pensée** : *communisme, scoutisme, pacifisme*, etc.

6 PRÉFIXES **Complétez les antonymes de chaque mot en gras.**

a. un **croyant** → ....croyant *ou* ....créant

b. une société **religieuse** → ....religieuse

c. un homme **pieux** → ....pie

▶ **Je retiens**

Les « païens »

Les Grecs et les Romains, qui étaient **polythéistes**, ont été qualifiés de « **païens** » par les premiers chrétiens. Ils pratiquaient, toujours selon les chrétiens, le **paganisme**.

7 CULTURE **Complétez le tableau à l'aide des mots suivants.**

rabbin – église – Islam – Bible – imam – synagogue – Coran – temple – catholicisme – protestantisme – Torah – Bible

religion	livre sacré	responsable religieux	lieu de culte
....	....	prêtre/curé	....
....	....	....	mosquée
....	....	pasteur	....
judaïsme	....	....	....

8 LE MOT DANS SON CONTEXTE **Lisez ce texte puis reliez chaque mot à son synonyme.**

Ayant reconnu Jupiter et Mercure déguisés en mendiants, le timide Philémon et la pieuse Baucis les **implorent** de pardonner ce pauvre repas. Ils se proposent d'**immoler** en leur honneur leur unique oie, mais les dieux s'y opposent et disent : « Oui, nous sommes des dieux, et vos voisins **impies**, qui ont refusé de nous accueillir, subiront un **châtiment** mérité. »

D'après Ovide, *Métamorphoses*.

implorer ● ● punition
immoler ● ● prier
impie ● ● sacrifier
châtiment ● ● mécréant

9 SYNONYMES **Entourez l'intrus dans chaque liste de synonymes.**

a. prière – imploration – invocation – vœu
b. châtiment – punition – salaire – sanction
c. offrande – sacrifice – don – secours
d. rite – rituel – culte – magie – cérémonie

10 ANTONYMES **Reliez chaque mot à son contraire.**

sacré ● ● religieux
monothéisme ● ● pieux
laïc ● ● profane
impie ● ● polythéisme

11 CULTURE **Complétez chaque expression par le verbe qui convient.**

célébrer – consacrer – vouer – honorer

a. .... un culte (à un dieu)
b. .... un dieu (par une prière)
c. .... un temple (à un dieu)
d. .... une cérémonie (en l'honneur d'un dieu)

12 RÉVISION **Dans chaque liste, entourez l'intrus qui désigne celui qui ne croit pas. Aidez-vous, si nécessaire, d'un dictionnaire.**

a. croyant – impie – pratiquant
b. mécréant – fidèle – pieux
c. fervent – dévot – athée

13 RÉVISION **Complétez ces phrases grâce aux mots des exercices précédents.**

a. Mahomet (ou Mohammed) est le prophète de la religion ....

b. Ne pas croire en l'existence d'une divinité, c'est être ....

c. Les hindouistes, qui croient en plusieurs dieux, sont donc ....

d. Le lieu de culte du judaïsme est la ....

e. Siddharta Gautama, également appelé Bouddha, est à l'origine du ....

f. Dans leurs temples grecs, les dieux Zeus, Apollon ou Aphrodite étaient ....

g. Sur cet autel, les fidèles ont laissé de nombreuses ....

Expression

14 *Sacré, fidèle, foi* : pour chacun de ces mots, inventez deux phrases. La première utilisera le mot dans son sens religieux, la seconde l'utilisera dans un sens plus courant.

15 Noé, avant d'entrer dans l'Arche, tente une dernière fois d'éviter le Déluge. Imaginez son discours où il donne des conseils à l'humanité pour éviter la colère divine. Vous utiliserez le présent de l'impératif ainsi que le vocabulaire religieux.

39 La lecture de l'image

J'observe et je retiens

1 OBSERVATION Observez ces images puis répondez aux questions.

L'Arche de Noé, de K. Memberger, 1588, Salzbourg.

L'Arche de Noé, d'E. Hicks, 1846, musée de Philadelphie.

a. Quelle image vous semble la plus ordonnée ? ....

b. Laquelle vous semble la plus désordonnée ? ....

c. Laquelle vous semble la plus rassurante et harmonieuse ? ....

d. Laquelle vous semble la plus menaçante et angoissante ? ....

> **JE RETIENS**
>
> **L'impression du spectateur**
> Une image donne une **impression** au spectateur : ordre, désordre, harmonie, angoisse, peur, bonheur, etc. Elle provient du **sujet** (ici, l'entrée dans l'Arche de Noé) et de la **structure** (construction).

2 CULTURE Reclassez les termes suivants dans le tableau en fonction de ce qu'ils désignent.

vase – encre – papier – huile – crayon – mur – toile – photographie – pastel – peinture – écran – bois

moyens ou techniques utilisés	support de l'image
....	....
....	....
....	....
....	....
....	....
....	....

> **JE RETIENS**
>
> **La technique et le support**
> Une image utilise une **technique** (peinture, lavis, encre de Chine, pigments naturels, etc.) ainsi qu'un **support** précis (toile, paroi rocheuse, etc.).

3 SENS Reclassez les termes suivants dans le tableau en fonction de ce qu'ils désignent.

proche – froid – doux – sombre – chaud – direct – éclatant – oblique – intense – obscur – faible – lointain

teinte et luminosité	intensité et force	sens et direction
....	....	....
....	....	....
....	....	....
....	....	....

> **JE RETIENS**
>
> **La lumière et les couleurs**
> Une couleur peut être comme une flamme, **chaude** (rouge, jaune, etc.) ou comme l'eau ou la glace, **froide** (bleue, verte, etc.). Une lumière peut être **intense** (forte) ou **douce** et **diffuse**, **directe** (et visible) ou **indirecte** (située hors du tableau).

4 LE MOT DANS SON CONTEXTE **Replacez les mots et expressions suivants dans le texte ci-dessous.**

arrière-plan – premier plan – ancienne – profondeur – représentations – moderne

Polyphème, dessin anonyme.   Vase grec, musée du Louvre.

Ces images sont deux .... différentes du cyclope Polyphème, personnage de
l'*Odyssée* :
– sur le dessin de gauche, le cyclope brandit un
rocher debout au .... On aperçoit
la mer et un navire plus loin, en ....
L'image est assez .... ;
– sur le vase, le décor n'est pas représenté : il y a
juste les personnages, sans effet de ....
L'image est bien plus ....

5 LE MOT DANS SON CONTEXTE **Replacez chacune de ces expressions près du dessin qui convient.**

vue de face – vue de profil – vue de trois quarts – vue de dos

....
....
....

....
....

6 RÉVISION **Observez ce tableau puis replacez ces mots dans le texte suivant.**

*cadrée – statique – toile – sombre – premier plan –
impression – arrière-plan – tableau – titre – contraste –
huile – mouvement*

Ulysse et les Sirènes, huile sur toile de John William
Waterhouse, 1891, National Gallery of Victoria,
Melbourne, Australie.

*Ulysse et les Sirène*s est le .... de cette
image. C'est un .... (une ....
sur ....) peint par John Waterhouse. On
aperçoit des falaises au fond, en ....
La scène principale occupe le ....
La tunique d'Ulysse, très blanche, fait un fort
.... avec le plumage des sirènes,
.... Cette différence est accentuée
par la position d'Ulysse attaché au mât, très
.... , tandis que les monstres sont
montrés en plein .... autour du
bateau. L'image est .... sur cet
évènement et donne une .... d'angoisse : on redoute ce qui va se passer !

Expression

7 Choisissez deux images de votre choix et, sous forme
de tableau, faites-en une « fiche de lecture ». Les entrées
du tableau seront : type, auteur, date, genre, technique,
support, sujet, organisation en plans, lumière, couleurs,
impressions.

8 Un inestimable tableau a été volé au musée, mais
aucune photographie n'est hélas disponible. Imaginez la
description précise que le conservateur fera au policier
chargé de retrouver l'œuvre volée.

J'observe et je retiens

1 OBSERVATION **Dans le texte suivant, entourez les mots qui appartiennent au vocabulaire des arts.**

Le Parthénon d'Athènes a été érigé au ve siècle av. J.-C. Le célèbre sculpteur Phidias en aurait créé les plans. C'est l'une des œuvres les plus connues de la production artistique de l'Antiquité, ce qui est d'autant plus remarquable qu'il a été construit en très peu de temps. Les concepteurs du Parthénon ont inventé un modèle de temple, dont on trouve de nombreuses copies dans toute la Grèce. Presque totalement détruit au xviie siècle, le monument est actuellement en cours de restauration. La plupart des sculptures qui ornaient ce chef-d'œuvre sont conservées au British Museum de Londres.

2 SUFFIXES **Complétez ce tableau à l'aide de mots de la même famille. Pour cela, ajoutez ou modifiez les suffixes et aidez-vous de l'exercice 1.**

verbe qui désigne l'action	nom de l'action ou de l'objet	nom de la personne qui agit
....	sculpture	sculpteur
créer	....	....
....	production	....
construire	....	....
....	....	concepteur
inventer	....	....
....	copie	....
....	restauration	....
conserver	....	....

▶ **JE RETIENS**
L'archéologie
C'est l'étude (*logos*, en grec) des **vestiges** anciens (*archaios*, en grec). L'archéologue travaille sur le **terrain**, lors de **fouilles**, puis analyse ses trouvailles en **laboratoire**. Il peut également **restaurer** (remettre en bon état) une œuvre ou devenir **conservateur** dans un musée.

3 SUFFIXES **Complétez le tableau en utilisant les suffixes qui conviennent. Les termes déjà indiqués pourront vous aider.**

matériau ou produit	art ou technique	métier
statue	sculpt.............	....
tableau	peint.............	....
monument	architect........	....
joyau (pierre précieuse)	joaill.............	....
or (et métaux précieux)	orfèvr.........	....
pot (et autres récipients)	pot........	....
verre (et cristal)	verr........	....
tissus (fibres et fils)	tiss........	....

▶ **JE RETIENS**
Artiste ou artisan ? Art ou artisanat ?
Ces mots proviennent du mot latin *ars* (métier, habileté). L'artisan utilise un **savoir-faire** précis et produit de nombreuses **œuvres artisanales souvent utilitaires**, tandis que l'artiste crée des **œuvres d'art uniques**. Mais la frontière est bien mince, parfois.

4 SYNONYMES **Reliez chaque verbe ou expression à son synonyme.**

orner ●   ● évoquer

symboliser ●   ● appartenir à l'Antiquité

représenter ●   ● être proche de la réalité

être fidèle
à l'original ●   ● respecter le modèle imité

être réaliste ●   ● montrer

être antique ●   ● décorer

▶ **JE RETIENS**
Le symbole
C'est une **représentation facilement reconnaissable qui évoque quelque chose** (lieu, personne, idée abstraite, etc.). Par exemple, dans l'Égypte antique, le scarabée était l'un des **symboles** du dieu-soleil et le blanc **symbolisait** la joie.

5 **SUFFIXES** Transformez chaque nom en adjectif. Pour cela, ajoutez ou modifiez le suffixe.

Ex. : peinture → pictural

a. musique → ....

b. architecture → ....

c. sculpture → ....

d. Mésopotamie → ....

e. Égypte → ....

f. Rome → ....

g. Grèce → ....

6 **CULTURE** Reliez chaque matière à sa définition.

bronze •

marbre •

céramique •

ivoire •

• roche qui comporte souvent des « veines » colorées

• matière des dents ou des défenses animales

• alliage de métaux (cuivre et étain)

• argile cuite à haute température (terre cuite)

7 **CULTURE** Pour chacune de ces images, indiquez de quel type d'œuvre il s'agit.

fresque – statue – bas-relief – mosaïque – vase

....

....

....

8 **RÉVISION** Observez l'image puis complétez le texte à l'aide des mots suivants.

réaliste – ornée – mosaïque – symbolisés – représente – œuvre

Ulysse et les Sirènes, mosaïque du IIIe s. ap. J.-C., musée du Bardo, Tunis.

Cette grande ...., d'époque romaine, ... la rencontre du marin Ulysse et des sirènes. Dans le ciel, les nuages sont .... par des traits zigzaguants. La mer n'est pas représentée de manière .... : en effet, la partie basse de l'............................ est .... de rayures qui rappellent les flots marins.

Expression

9 Décrivez cette représentation du cheval de Troie. Vous utiliserez le vocabulaire adéquat.

Manuscrit occidental du Moyen Âge, BNF.

10 Un archéologue découvre une œuvre antique et raconte sa découverte à un journaliste. Votre récit comportera une description de l'œuvre et vous utiliserez le vocabulaire artistique et historique.

Cette série d'exercices vous permettra d'évaluer vos connaissances après avoir complété l'ensemble des fiches de la 3ᵉ partie. Chaque réponse correcte vaut 0,5 point. **À vous de jouer !**

1 **Cochez la bonne réponse pour chaque proposition.**
► *fiche n° 26*

a. épique → ....

b. romanesque → ....

c. mytique → ....

d. perturbateur → ....

.... /2

2 **Cochez la bonne réponse pour chaque proposition.**
► *fiches n° 27 et n° 28*

a. Le côté cour est le côté droit de la scène. :
☐ vrai ☐ faux

b. La fosse désigne les places les plus éloignées. :
☐ vrai ☐ faux

c. Le paradis désigne les places les plus hautes. :
☐ vrai ☐ faux

d. Un monologue est prononcé à plusieurs. :
☐ vrai ☐ faux

e. Un dramaturge est forcément comédien. :
☐ vrai ☐ faux

f. L'intrigue est synonyme d'histoire. :
☐ vrai ☐ faux

.... /3

3 **Placez chacun des mots suivants face à la définition qui convient.** ► *fiches n° 30 et n° 31*

philtre – masure – grimoire – cadet

a. l'enfant le plus jeune d'une fratrie : ....

b. une potion magique : ....

c. une maison délabrée : ....

d. un livre magique : ....

/2

4 **Reclassez ces mots et expressions dans les deux listes suivantes** ► *fiches n° 32 et n° 33*

tohu-bohu – apocalypse – déluge – calvaire – capharnaüm – traversée du désert

a. malheur et catastrophe : ....
....

b. bruit et désordre : ....

/3

5 **Reliez chaque expression au sens qui lui correspond.**
► *fiches n° 34 et n° 35*

vivre une odyssée •
jouer les Pénélope •
jouer les Cassandre •
avoir un talon d'Achille •
toucher le pactole •
être un Apollon •

• avoir un point faible
• attendre patiemment
• gagner une fortune
• être bel homme
• annoncer des malheurs
• subir une aventure

.... /3

6 **Retrouvez le verbe qui correspond à chaque adjectif.** ► *fiche n° 36*

a. mou → ....

b. petit → ....

c. mince → ....

d. fin → ....

/2

7 **Complétez chaque phrase avec le mot qui convient.**
► *fiches n° 37 et 38*

ramage – mâtin – courroux – fabuliste – onde – zéphyr

a. Le lion entre dans un terrible ....

b. La ferme est gardée par un grand ....

c. Le .... des oiseaux m'enchante.

d. La Fontaine est un grand ....

e. Ce vent n'est qu'un doux ....

f. L'agneau se désaltère dans l'......................

/3

8 **Complétez chaque phrase avec le mot qui convient.**
► *fiche n° 39*

a. Le rabbin officie dans une ....

b. La croyance en plusieurs divinités est le
....

c. Ce qui n'est pas sacré est ....

d. Celui qui transmet les volontés d'une divinité est son ....

/2

TOTAL : ...... / 20

Comprendre
les autres matières

J'observe et je retiens

1 LE MOT DANS SON CONTEXTE **Lisez ce texte, puis reliez chaque adjectif en gras à son synonyme.**

À Rome, même si le titre d'empereur n'était pas officiellement **héréditaire**, il était souvent transmis à un fils (naturel ou adoptif). Les empereurs étaient souvent issus de vieilles familles **aristocratiques**. Sous l'empereur Auguste, le pouvoir était **absolu** et sans partage, l'empereur ne rendant de comptes à personne. Enfin, on honorait certains empereurs dans des temples : ils étaient **divinisés**.

héréditaire ●	● transmis de père en fils
aristocratique ●	● transformé en dieu
absolu ●	● riche et puissante
divinisé ●	● illimité

▶ **JE RETIENS**

Le nom *empereur*

Il provient du nom latin *imperator*, issu du verbe *imperare* (commander), qui désigne un **général victorieux** ayant eu droit au **triomphe**.

2 SUFFIXES **Complétez chaque définition en ajoutant le suffixe -*(at)eur* à chaque nom en gras.**

a. Qui siège au **Sénat** : un ....

b. Qui **gouverne** une province : un ....

c. Qui applique les décisions de l'**administration** romaine : un ....

d. Qui est chargé du **cens** (impôt) : un ....

e. Qui manie le *gladius* (épée) : un ....

3 LE MOT DANS SON CONTEXTE **Lisez ce texte, puis placez chacun des mots suivants après son synonyme.**

envoyer – amener – colonies – routes – métropole

L'expression « Tous les chemins mènent à Rome » a une origine historique. Les plus grandes **voies de communication** (...........................) aboutissaient toutes à Rome, qui les utilisait pour **expédier** (...........................) ordres et chefs vers les **provinces** (...........................). Celles-ci devaient **acheminer** (...........................) produits, impôts et main-d'œuvre vers la **capitale** (...........................).

4 SUFFIXES **Transformez chaque mot en gras en verbe. Pour cela, utilisez les suffixes suivants.**

-er, -iser, -fier

a. Occuper un nouveau territoire et y fonder une **colonie** → *colon* ....

b. Rendre la **paix** à un territoire en guerre ou rebelle → *paci* ....

c. Développer une province en construisant des espaces **urbains** → *urban* ....

d. Permettre l'**intégration** des provinces dans l'Empire → *intégr* ....

e. Adopter ou imposer le mode de vie des **Romains** → *roman* ....

5 RACINES **Voici une conversation entre deux Romains qui mentionnent des bâtiments. Donnez pour chaque mot latin son équivalent en français.**

– Le *circus* (...........................) annonce de jolis combats aujourd'hui ! Allons-y !

– D'accord ! Et à la sortie, si nous avons faim ou soif, la *taberna* (...........................) de Caïus sera idéale.

– Celle près du forum ou celle qui borde l'*amphitheatrum* (...........................), où l'on joue actuellement une comédie ?

– Oui, celle-là même. Ensuite, direction les *thermae* (...........................), pour nous laver, discuter, faire de l'exercice puis nous reposer un peu ?

– Non, ils sont fermés. Visiblement, l'*aquaeductus* (...........................) est en travaux, pour cause d'importantes fuites d'eau. Tu le savais ?

– Que de travaux ! À ce propos, l'*arcus* (...........................) en l'honneur de l'empereur près du forum est-il terminé ?

▶ **JE RETIENS**

Le cirque et l'arène

À l'origine, *circus* signifie *cercle* : les **combats** de gladiateurs se déroulaient au milieu d'un **bâtiment circulaire** pourvu de gradins, comme le **Colisée de Rome**. Les combats se déroulaient dans l'espace central, sur du sable (*arena* en latin) : l'**arène**.

6 RACINES Retrouvez le mot français issu de chaque racine latine en gras.

a. L'empereur vivait sur le mont Palatin, le *Palatium*

→ ce mot a donné ....

b. Tout sénateur possédait une grande demeure, la *domus*, dont il était le *dominus*, le maître

→ ce mot a donné ....

c. La plèbe (les pauvres) habitait des « îlots », immeubles hauts et insalubres appelés *insulae*

→ ce mot a donné ....

d. La grande unité de l'armée romaine était appelée *legio*

→ ce mot a donné ....

e. Toute grande route de l'Empire était appelée *via*

→ ce mot a donné ....

7 LE MOT DANS SON CONTEXTE Lisez ce texte puis placez chacun des mots suivants après son synonyme.

maquette – monuments – thermes – temple – latine – richesse – ruines

À l'occasion du percement de la nouvelle ligne de métro, on a retrouvé les **vestiges** (...........................) d'un **sanctuaire** (...................................) de Jupiter ainsi que de **bains publics** (...................................) d'époque **romaine** (...................................). Ce qui reste de ces **bâtiments** (...................................), que l'on visualise mieux grâce à la petite **reconstitution** (...................................) présentée au musée, montre l'ancienneté de la ville ainsi que sa **prospérité** (...................................) durant l'Antiquité.

8 CULTURE Reclassez les mots suivants en fonction du champ lexical auquel ils appartiennent.

aristocratie – cirque – temple – culte – arène – consul – gladiateurs – curie – sacrifice – prêtresse – clergé – spectacles – sénateur

a. religion : .... – ....

.... – .... – ....

b. divertissement : .... – ....

.... – ....

c. pouvoir : .... – ....

.... – ....

9 RÉVISION Complétez le texte grâce aux mots suivants.

Gallo-Romains – colonies – voies de communication – victoire – province – urbanise – pacifie – romanise – légions

Après la .... de César à Alésia en 52 avant J.-C., la Gaule devient une .... romaine. On .... les tribus rebelles grâce à la présence des .... armées, on développe le réseau de .... , on .... en créant des cités appelées .... et on impose les lois romaines. Peu à peu, les Gaulois apprennent le latin et adoptent les coutumes romaines : la Gaule se .... et les Gaulois deviennent des ....

10 RÉVISION Complétez ce texte grâce aux mots suivants.

Colisée – Arc – empereurs – gladiateurs – légions – imperator

L'......................... de Constantin se trouve à Rome. Il est situé entre le Palatin (la résidence des ....) et le .... (que l'on voit à droite de l'image), où se déroulaient les combats de .... Il a été construit en l'an 315 pour célébrer la victoire du pont Milvius, après laquelle Constantin a été acclamé comme .... par ses ....

42 Le vocabulaire de l'histoire
La cité grecque

J'observe et je retiens

1 OBSERVATION Observez ce schéma, puis replacez les mots dans le texte suivant.

agora – acropole – fortifications – cité – sanctuaire

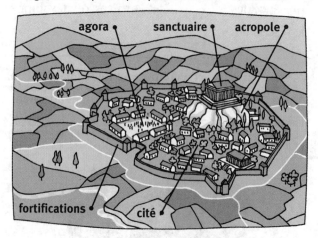

Une .... grecque (*polis* en grec) était un petit État formé d'une ville et de sa campagne. La ville était protégée des ennemis potentiels par des .... (murailles). Elle était souvent dominée par une .... sur laquelle se dressait un .... dédié aux dieux. Au centre de la cité, la vaste place du marché, l'........................... , était un lieu de décisions politiques et de discussions entre citoyens.

JE RETIENS
La racine grecque *polis*
Ce mot signifie *cité* et désigne à l'origine l'organisation d'une ville ou d'un pays. Il a donné *politique, police, métropole, mégalopole...*

2 LE MOT DANS SON CONTEXTE Lisez ce texte puis reliez chaque mot en gras à son synonyme.

Vers 600 av. J.-C., pour éviter la famine et la guerre civile, la **cité** grecque de Phocée, surpeuplée, **exila** une partie de sa population et l'envoya **fonder** une **colonie** sur des côtes lointaines. C'est ainsi que fut construite Massalia, la future Marseille.

cité ●   ● créer, construire
exiler ●   ● ville qui dépend d'une autre
fonder ●   ● chasser, expulser
colonie ●   ● ville

JE RETIENS
L'appellation *cité phocéenne*
Ce surnom donné à Marseille provient de **Phocée**, la cité grecque située dans l'actuelle Turquie qui a fondé cette colonie. Vers 600 av. J.-C., Phocée était la **cité-mère** (*métropole* en grec) d'une douzaine de colonies.

3 FAMILLES Transformez chaque verbe en nom. Pour cela, vous devrez supprimer ou modifier le suffixe.

a. fonder ➜ ....

b. coloniser ➜ ....

c. gouverner ➜ ....

d. fortifier ➜ ....

e. exiler ➜ ....

f. débattre ➜ ....

4 RACINES Complétez les mots avec les racines grecques suivantes. Aidez-vous des mots en gras.

théo(s)- : dieu   *démo(s)- : le peuple*
olig(os)- : petit nombre   *mon(os)- : un seul*
plouto(s)- : richesse   *aristo(s)- : meilleur*

a. Pouvoir détenu par **quelques personnes**

➜ ....archie

b. Pouvoir détenu par **une seule personne**

➜ ....archie

c. Pouvoir détenu par **le peuple**

➜ ....cratie

d. Pouvoir détenu par **les plus riches**

➜ ....cratie

e. Pouvoir détenu par **les « meilleurs », les nobles**

➜ ....cratie

f. Pouvoir détenu par **l'autorité religieuse**

➜ ....cratie

JE RETIENS
Les racines *-archie* et *-cratie*
Ces racines sont d'**origine grecque** : *-cratie* (de *kratos*, pouvoir, **autorité**), a notamment donné *démocratie* ou *aristocratie* ; *-archie* (d'*arkhê*, **commandement**) a donné notamment *patriarche* ou *monarque*.

5 SENS **Complétez chaque définition à l'aide d'un des mots suivants. Aidez-vous du sens moderne entre parenthèses.**

stratège – métèque – ostracisme – barbare – magistrat – citoyen

a. Bannissement d'un individu de la cité par décision de l'assemblée publique (aujourd'hui, exclusion d'une personne par un groupe hostile) : ....

b. Personne qui peut participer à la vie de la cité (aujourd'hui, simple habitant d'un pays) : ....

c. Celui ou celle qui ne parle pas grec (aujourd'hui, personne ignorante et cruelle) : ....

d. Personne investie d'un pouvoir politique ou administratif (aujourd'hui, juge) : ....

e. Étranger dans une cité, protégé par la loi (aujourd'hui, insulte envers un immigré) : ....

f. Homme élu pour commander une armée (aujourd'hui, organisateur de plans à long terme) : ....

6 SUFFIXES **Complétez chaque phrase en transformant chaque mot en gras en nom commun. Pour cela, utilisez les suffixes suivants.**

-ance, -eté, -age, -ation

a. Les Grecs **colonisaient** des régions.

→ Ils pratiquaient la ....

b. Les Grecs avaient des **esclaves**.

→ Ils pratiquaient l'................................... .

c. Tout Athénien n'était pas **citoyen**.

→ La .... restait un privilège.

d. Les cités grecques étaient **indépendantes**.

→ Elles tenaient à cette ....

7 LE MOT DANS SON CONTEXTE **Lisez ce texte puis reliez chaque mot à sa définition. Aidez-vous d'un dictionnaire.**

Lors de la première année de son **éphébie**, le jeune Athénien était notamment formé au combat comme **hoplite**. La deuxième année se déroulait dans une garnison de l'**Attique** ou sur une **trière** en mer.

éphébie ●	● région d'Athènes
hoplite ●	● galère de combat
Attique ●	● formation militaire et culturelle
trière ●	● soldat lourdement armé

8 CULTURE **Replacez ces mots dans le texte suivant. Aidez-vous d'un dictionnaire.**

sacrifice – trésor – autel – prédictions – oracle – sanctuaire – rite – offrande

On venait de toute la Grèce au .... de Delphes pour consulter la prêtresse appelée la pythie, qui interprétait l'......................... d'Apollon, dont elle était censée transmettre les paroles sous forme de .... énigmatiques. Le .... était le suivant : après avoir fait un .... d'animal sur l'........................... d'Apollon, on posait sa question à la pythie. En remerciement, on faisait une .... au dieu, qui était ensuite placée dans un bâtiment appelé ....

9 RÉVISION **Replacez chacun des mots suivants après son synonyme.**

cité – métèques – agora – sacrifice – magistrats – sanctuaire – Acropole – esclaves – citoyens

Chaque année à Athènes avaient lieu les Panathénées en l'honneur d'Athéna. Cette procession rassemblait les **responsables politiques** (les ....), les **individus libres** (les ....) mais également les femmes, les **étrangers** (les ....) et les **individus non libres** (les ....). Après avoir traversé les lieux importants de la **ville** (la ....), notamment la **vaste place du marché** (l'.......................), la procession montait sur la **colline sacrée** (l'...........................). Là, devant le **temple** (le ....), on procédait à l'**exécution** (au ....) d'animaux.

J'observe et je retiens

1 FAMILLE Complétez les phrases à l'aide des mots suivants.

peuplée – population – populaire – peuplement – se repeuple – se dépeuple

a. À l'échelle mondiale, l'Europe ne représente plus que 12 % de la ....

b. Pourtant, ce continent reste encore un grand foyer de ....

c. Avec un nombre de naissances très inférieur au nombre de décès, le Japon ....

d. L'Himalaya est une zone très peu ....

e. Grâce au TGV et à l'arrivée de familles venues des villes, ce village ....

f. Avec des loyers relativement bas, c'est encore un quartier ....

▶ JE RETIENS

La racine *populus*

Ce **mot latin**, qui signifie « les habitants d'un État, le peuple », est la **racine** des mots de l'exercice précédent. Au Moyen Âge, il s'est peu à peu transformé jusqu'à donner *peuple*. C'est la raison pour laquelle cette **famille** a une racine double : *peupl-* (*dépeupler*) et *popul-* (*surpopulation*).

2 RACINES Lisez chaque notice étymologique puis replacez chaque mot après son synonyme. Aidez-vous des racines entre parenthèses.

rurale (de *ruralis*, champêtre)
capitale (de *caput*, tête, chef)
agglomération (de *agglomeratio*, groupement)
urbaine (de *urbanus*, de la ville)

a. La population **citadine** → ....

b. La population **campagnarde** → ....

c. Paris est une **métropole** → ....

d. Une ville **entourée de banlieues** → ....

▶ JE RETIENS

Le mot *métropole*

En grec ancien, c'est la « **ville-mère** », qui a fondé d'autres villes (des **colonies**). Aujourd'hui, ce mot désigne une ville **influente** ou une **capitale**.

3 ANTONYMES Complétez chaque phrase par l'adjectif qui convient, pour former un couple de contraires.

élevée – forte – peuplée – haute – dense

a. L'espérance de vie est **faible** en Bolivie.

→ En France, elle est ....

b. La croissance de la population est **faible** à Cuba.

→ Elle est .... dans les pays d'Afrique.

c. La densité de population est **faible** dans le désert.

→ En ville, elle est ....

d. Le peuplement de la Sibérie est très **clairsemé**.

→ Il est très .... dans la partie Ouest de la Russie.

e. L'Antarctique est une zone **vide**.

→ L'Europe est une zone ....

▶ JE RETIENS

La densité de population

En latin, *densitas* signifiait l'**épaisseur**. Plus précisément, en géographie, la densité exprime le **nombre d'habitants** présents sur un **kilomètre carré**. C'est donc un **rapport** entre un peuplement et une superficie (surface).

4 SUFFIXES Transformez chaque adjectif en nom à l'aide du suffixe *-ité/-té*. Attention aux modifications de radical.

Ex. : dense → densité

a. fécond → ....

b. pauvre → ....

c. divers → ....

d. stable → ....

e. inégal → ....

f. mortel → ....

▶ JE RETIENS

Le taux

C'est un **rapport entre deux nombres**, souvent exprimé en ‰ (**pour mille**). Ainsi, le **taux de mortalité** est le nombre de décès annuels divisé par la population totale d'un territoire précis. Le **taux de natalité**, quant à lui, mesure les **naissances**.

5 PRÉFIXES **Complétez chaque radical par l'un des préfixes suivants. Aidez-vous des mots en gras.**

é- (*ex-*) : hors de, vers – *im-* (*in-*) : à l'intérieur de

a. Une personne qui **quitte** son pays pour vivre dans un autre est un …..**migré.**

b. Une personne qui **arrive dans** un autre pays est un ….....**migré.**

c. Désormais, cette famille **réside** au Québec. Il y a peu de temps qu'elle y a …..**migré.**

d. Pour **fuir** la guerre, de nombreux Irakiens ont tenté d' …..**migrer.**

e. Jusqu'en 1960, beaucoup d'Italiens sont partis aux États-Unis. L'Italie était alors une terre d' …..**migration.**

f. Depuis 1990, l'Italie a accueilli beaucoup de réfugiés : c'est désormais une terre d' …..**migration.**

6 SUFFIXES **Transformez chaque verbe en nom commun. Dans un deuxième temps, replacez chacun des synonymes suivants dans le tableau.**

regroupement – baisse – disposition – croissance

verbe	nom commun	synonyme
se répartir	…………………	…………………
se concentrer	…………………	…………………
augmenter	…………………	…………………
diminuer	…………………	…………………

7 SYNONYMES **Reclassez les mots suivants dans le tableau. Aidez-vous si nécessaire d'un dictionnaire.**

accroissement – diminution – stagnation – hausse – stabilité – croissance – réduction – constance – chute

baisse	immobilité	augmentation
…………	…………	…………
…………	…………	…………
…………	…………	…………

8 RÉVISION **Complétez chaque définition grâce aux mots suivants.**

urbaine – rurale – densité – accroissement – rural

a. Différence entre le nombre de naissances et de décès

→ ………………… **naturel**

b. Nombre d'habitants sur un kilomètre carré

→ ………………… **de population**

c. Population vivant en ville → **population** …………

d. Départ des habitants des campagnes vers les villes

→ **exode** …………………

e. Population vivant à la campagne

→ **population** …………………

9 RÉVISION **Complétez le texte grâce aux mots suivants.**

territoire – agglomérations – zone – population – foyer – urbanisée – banlieues

Une **mégalopole** (du grec *megalos*, « grand » et *polis*, « ville ») est une ………………… très ………………… , formée de plusieurs ………………… dont les ………………… s'étendent tellement qu'elles finissent par se rejoindre (périurbanisation). Au Japon, la mégalopole autour de Tokyo rassemble plus de 100 millions d'habitants, soit environ 80 % de la ………………… japonaise sur 6 % du ………………… . C'est donc un important ………………… de peuplement.

10 RÉVISION **Complétez le texte grâce aux mots suivants.**

natalité – causes – insalubres – hygiène – malnutrition – élevé – mortalité – soins – revenus – population – bidonvilles

Malgré la croissance économique, le taux de ………………… infantile reste ………………… en Inde. Dans les campagnes, les plus pauvres ne peuvent accéder aux ………………… en l'absence d'hôpitaux ou parce que leurs ………………… sont trop faibles. En ville, malgré quelques progrès en matière de santé et d'………………… , les conditions de vie parfois ………………… sont les causes de nombreuses maladies. La sous-alimentation reste présente : la ………………… est l'une des principales ………………… de cette mortalité infantile. C'est dans les ………………… que ce taux de mortalité est le plus élevé. Malgré tout, la croissance de la ………………… reste forte car le taux de ………………… est élevé.

J'observe et je retiens

1 LE MOT DANS SON CONTEXTE **Entourez dans ce texte les synonymes du mot *côte*.**

Au XXe siècle, la population s'est déplacée vers les côtes : aujourd'hui 60 % de la population mondiale vit près des rivages. En France, il y a 53 millions de touristes par an sur le bord de mer. La façade atlantique est encore par endroits préservée mais les constructions et le trafic maritime ont mis en danger la biodiversité de ce littoral.

▶ **JE RETIENS**

Le mot *littoral*

Ce mot d'origine latine signifie *rivage*. Il est à la fois un **nom** (*le littoral vendéen*) et un **adjectif** (*une plante littorale*).

2 ANTONYMES **Reliez chaque adjectif en gras à son contraire.**

une île **naturelle** ●   ● préservée
un lieu **inhabité** ●   ● important
un trafic **médiocre** ●   ● artificielle
un espace **libre** ●   ● habité
une nature **polluée** ●   ● saturé

▶ **JE RETIENS**

Le mot *trafic*

D'origine italienne, ce mot signifie *commerce* ou *circulation* (*trafic automobile, maritime, routier*). L'influence de la langue anglaise lui a récemment donné un autre sens, plus **péjoratif** (négatif), de commerce **illégal** et **clandestin**.

3 SUFFIXES **Transformez chaque verbe en nom commun à l'aide des suffixes *-(e)ment* ou *-(a)tion*.**

a. développer → ....

b. réaliser → ....

c. aménager → ....

d. habiter → ....

e. polluer → ....

4 LE MOT DANS SON CONTEXTE **Observez ces images et lisez les textes associés. Complétez ensuite le tableau avec les mots en gras.**

a. Un port **de plaisance** n'est pas consacré à la pêche ou à l'industrie mais aux **loisirs** : il est souvent aménagé en **marinas**, qui comportent à la fois des **quais** pour les bateaux privés, des habitations et des zones consacrées au **tourisme** et au **commerce**.

b. Un port **industriel** comporte souvent des **entrepôts** de **stockage**, des **usines** de **production** ainsi que des **terminaux** qui permettent le **chargement** des marchandises.

	image et texte a	image et texte b
type de port	....	....
activités	....	....
	....	....
	....	....
bâtiments	....	....
	....	....

5 CULTURE Complétez chaque définition à l'aide des mots suivants. Aidez-vous si nécessaire d'un dictionnaire.

entrepôt – terminal – conteneur – terreplein

a. lieu de chargement, de déchargement de marchandises : un ....

b. bâtiment de stockage de marchandises : un ....

c. espace gagné sur la mer grâce à des remblais : un ....

d. cube métallique à grande contenance : un ....

6 SENS Reliez chaque verbe au complément qui lui convient.

aménager ●   ● des marchandises
échanger ●   ● une zone littorale
réaliser ●   ● un espace au tourisme
consacrer ●   ● des aménagements

7 PRÉFIXES Complétez chaque radical par l'un des préfixes suivants.

ex- : hors de, vers – *im-* : dans, à l'intérieur de

a. La France ....porte du pétrole car elle n'a pas de ressources pétrolières sur son territoire.

b. Elle ....porte en revanche beaucoup de vin et de produits de luxe, notamment vers l'Asie.

c. Les ....portations de pétrole arrivent au port de Fos-sur-Mer, près de Marseille.

d. Les ....portations vers l'Amérique se font souvent par bateau, précisément par porte-conteneurs.

8 RÉVISION Complétez chaque phrase à l'aide des mots suivants.

marina – conteneur – artificielle – saturé – terminal

a. Une caisse de métal de grande dimension s'appelle un ....

b. Quand un espace ou un réseau atteint sa capacité maximale d'accueil, on dit qu'il est ....

c. Un complexe touristique de bord de mer qui comporte des habitations et un port de plaisance s'appelle une ....

d. Quand une île n'est pas naturelle mais gagnée sur la mer par l'homme, on dit qu'elle est ....

e. L'équipement portuaire qui permet la réception et l'expédition de marchandises s'appelle un ....

9 RÉVISION Complétez ce texte en utilisant les mots suivants.

raffineries – entrepôts – importé – industriel – terminal – transport – voies – port

La plupart du pétrole .... en France arrive au .... de Fos-sur-Mer, près de Marseille. Situé près de .... de communication pratiques et fréquentées, ce port .... accueille les énormes navires de .... nommés « pétroliers ». Pour cela, on a aménagé un .... de déchargement des produits pétroliers. Ceux-ci sont ensuite stockés dans des .... ou transformés dans des ....

10 RÉVISION Cette photo représente une marina de Dubaï. Complétez sa légende à l'aide des mots suivants.

bassin – quais – yachts ou bateaux – pontons – zone touristique – gratte-ciel

1. ....   4. ....
2. ....   5. ....
3. ....   6. ....

J'observe et je retiens

1 FAMILLE Complétez chaque phrase à l'aide des mots suivants.

élu – élections – élire – électeurs – électorales

a. Lucie a gagné les ....

b. À 18 ans, on s'inscrit sur les listes ....

c. Tous les .... ont voté.

d. Bilal a été .... au poste de délégué.

e. Nous allons .... nos représentants.

▷ **JE RETIENS**

Le verbe *élire*

Il provient du latin *eligere*, **choisir**. On peut être choisi, élu par les citoyens (*un élu de la République*), par une personne qui nous aime (*l'heureux élu, l'élu de son cœur*) ou par une divinité (*élu de Dieu*).

2 SYNONYMES Replacez chaque mot après son synonyme en gras.

remplaçant – représentant – rôle – projet

Abdel sera notre **délégué** (................................) au conseil de classe. Il accomplira sa **fonction** (............................) avec sérieux car son **programme** (............................) est plus complet que celui des autres candidats. S'il ne peut être présent, c'est Giovanni qui assistera au conseil à sa place en tant que **suppléant** (............................).

3 SYNONYMES Reliez chaque verbe à son synonyme.

choisir par suffrage •   • rendre responsable

agir au nom d'un groupe •   • déléguer (quelque chose)

confier une mission •   • déléguer (quelqu'un)

envoyer quelqu'un avec une mission précise •   • élire

responsabiliser •   • représenter

4 LE MOT DANS SON CONTEXTE Lisez ce texte et complétez la légende de chaque image à l'aide des mots en gras.

Dans un bureau de vote, l'électeur prend une enveloppe et le **bulletin de vote** de chaque candidat. Il se rend ensuite dans l'**isoloir** pour glisser dans l'enveloppe le bulletin du candidat choisi. Enfin, le président ou l'**assesseur** vérifie son identité et l'électeur peut alors déposer son bulletin dans l'**urne**.

....

5 SUFFIXES Transformez chaque adjectif en nom commun. Attention aux changements de radical.

Ex : *confidentiel → confidentialité*

a. commun → ....

b. collectif → ....

c. responsable → ....

d. citoyen → ....

e laïque → ....

▷ **JE RETIENS**

La laïcité

Principe essentiel de la République française, elle sépare l'État des religions pour permettre à chacun de **pratiquer la religion de son choix** (ou de ne pas en avoir). Elle garantit l'**égalité** de tous, au-delà des **différences**.

6 CULTURE **Replacez ces mots dans le texte suivant.**

*devoirs – droits – règlement – collectivité –
loi – fonctionnement*

Le .... intérieur définit les .... et les .... de chaque élève. Il définit les règles de .... du collège mais également les principes de la vie en .... Il est conforme à la .... républicaine.

7 LE MOT DANS SON CONTEXTE **Lisez ces définitions puis replacez les deux mots dans les phrases suivantes.**

scrutin : vote effectué au moyen de bulletins déposés dans une urne puis comptés.
suffrage : avis de celui qui est appelé à faire son choix dans une élection.

a. Pour désigner nos délégués, nos avons procédé à un ....

b. Margot et Léo sont élus car ils ont recueilli la majorité des ....

c. Après le vote, on procède au décompte de l'ensemble des ....

d. Elle a été élue dès le premier tour de ....

e. En France, le président de la République est élu au .... universel.

f. Le dimanche est souvent le jour où se déroulent les .... en France et en Europe.

8 LE MOT DANS SON CONTEXTE **Cochez le sens de chaque verbe en gras. Ils concernent tous le scrutin.**

a. Procéder à un scrutin, c'est :
☐ l'organiser   ☐ le remettre en cause

b. Dépouiller un scrutin, c'est :
☐ l'arrêter   ☐ compter les voix

c. Clore un scrutin, c'est :
☐ le fermer   ☐ l'annuler

d. Remporter un scrutin, c'est :
☐ suspendre le vote   ☐ gagner l'élection

e. Fixer les modalités d'un scrutin, c'est :
☐ définir ses règles   ☐ préciser ses dates

f. Truquer un scrutin, c'est :
☐ frauder en le modifiant   ☐ le modifier légalement

9 FAMILLE **Transformez chaque nom en verbe afin de compléter les expressions données.**

a. élection → .... un représentant
b. dépouillement → ....un scrutin
c. clôture → .... un vote
d. expression → .... son suffrage
e. désignation → .... le vainqueur
f. procédure → .... en deux tours

10 CULTURE **Reliez chaque expression à sa définition.**

vote blanc ●   ● absence de participation à un scrutin

vote nul ●   ● bulletin non valable (raturé, déchiré, annoté)

abstention ●   ● vote comptant pour un scrutin

suffrage exprimé ●   ● bulletin dépourvu de nom de candidat

11 LE MOT DANS SON CONTEXTE **Replacez ces mots et expressions dans le texte suivant. Aidez-vous des mots en gras.**

relative – uninominal – à deux tours – absolue

Je n'ai marqué qu'**un seul nom** sur mon bulletin de vote car l'élection des délégués est un scrutin .... J'ai voté **deux fois** car c'est un scrutin .... À la fin du premier tour, Myriam a été directement élue car elle a obtenu la majorité .... (la **moitié** des voix **plus une**). Lors du second tour, nous avons départagé Kim et William, et ce dernier a obtenu la majorité .... , c'est-à-dire **le plus grand** nombre de suffrages, et a été élu.

12 RÉVISION **Complétez le texte à l'aide des mots suivants.**

urne – scrutin – représentants – suffrages – dépouillement

On a procédé au .... des bulletins placés dans l'.......................... . À l'issue de ce .... , Fatou et Pierre ont été désignés comme nos .... : ils ont en effet remporté la majorité des ....

46 Le vocabulaire de l'éducation civique
Le citoyen et l'habitant

J'observe et je retiens

1 RACINES Complétez les mots grâce aux racines suivantes.

pater/patro- (père en latin) – mater/matro- (mère en latin) – pseudo- (faux en grec) – topo- (lieu en grec) – homo- (même en grec)

a. Faux nom : ....nyme

b. Nom de la mère : ....nyme

c. Nom du père (ou de famille) : ....nyme

d. Même nom : ....nyme

e. Nom de lieu : ....nyme

▷ **JE RETIENS**

Le patronyme

C'est le **nom de famille** d'une personne. En France, il était transmis exclusivement par le père (*patro-*) jusqu'en 2005. Aujourd'hui, on a désormais le choix et l'enfant peut porter un **nom composé** du patronyme et du matronyme.

2 LE MOT DANS SON CONTEXTE Lisez le texte puis reliez chaque verbe à son synonyme.

Susana **réside** en France depuis seize ans mais a un passeport péruvien. Pour obtenir la nationalité française, elle a commencé à **faire des démarches** à la préfecture. Elle doit se rendre à l'ambassade, qui lui **délivrera** certains documents nécessaires pour qu'elle **soit naturalisée** et devienne ainsi française.

résider ●   ● obtenir une nationalité

faire des démarches ●   ● habiter

délivrer (un document officiel) ●   ● remettre

être naturalisé(e) ●   ● effectuer des demandes

▷ **JE RETIENS**

Le passeport

À l'origine, ce **document** garantissait la liberté de circulation d'un **messager royal**. Ce terme ne provient sans doute **pas des ports** marins mais des **portes des villes** fortifiées.

3 FAMILLE Transformez chaque nom commun en verbe. Pour cela, ajoutez un préfixe et/ou un suffixe.

a. résidence → ....

b. naturalisation → ....

c. registre → ....

d. déclaration → ....

e. certificat → ....

f. transmission → ....

▷ **JE RETIENS**

Le registre

C'est à la fois la **hauteur de voix** d'une personne, un synonyme de « **niveau** de langue » et le **cahier** (administratif ou commercial) sur lequel on répertorie des évènements. Ainsi, les registres de l'état civil répertorient naissances, mariages et décès.

4 SUFFIXES Transformez chaque adjectif en nom commun. Pour cela, ajoutez le suffixe *-eté* ou *-ité*. Attention aux changements de radical.

a. national → ....

b. collectif → ....

c. formel → ....

d. majeur → ....

e. municipal → ....

f. citoyen → ....

5 RACINES Reliez chaque nom à un mot de même famille. Aidez-vous si nécessaire d'un dictionnaire.

législation ●   ● distinguer

instruction ●   ● fils

filiation ●   ● loi

acquisition ●   ● citoyen

distinction ●   ● acquérir

civil ●   ● instruire

▷ **JE RETIENS**

« Selon la législation en vigueur »

Cette expression, souvent employée dans les **documents administratifs**, signifie « d'après les lois actuellement appliquées ».

6 FAMILLE Complétez le tableau suivant avec des mots de même famille.

nom	adjectif	verbe
....	résidant	....
délivrance	....	....
....	acquis	....
....	....	éduquer
décès	....	

7 SENS Entourez l'intrus dans chacune de ces listes de synonymes. Aidez-vous si nécessaire d'un dictionnaire.

a. démarche – mouvement – formalité – demande

b. décédé – mort – défunt – résolu

c. étranger – immigré – réfugié – inconnu

d. sépulture – tombeau – cimetière – tombe

e. municipalité – mairie – commune – préfecture

f. funérailles – obsèques – enterrement – tombe

g. conjoints – séparés – époux – mariés

8 SUFFIXES Retrouvez le métier ou le lieu qui correspond à chaque mot indiqué.

métier	lieu
....	ministère
préfet	....
....	sous-préfecture
....	mairie
ambassadeur	....
....	consulat
....	commissariat
gendarme	....

9 LE MOT DANS SON CONTEXTE Lisez ce texte puis reliez chaque mot ou expression en gras à sa définition.

La **Convention internationale** des droits de l'enfant regroupe des obligations universellement acceptées, fondamentales et non négociables pour les pays signataires à propos des droits de l'enfant. Elle n'est pas incompatible avec le **Code civil** français, c'est-à-dire les lois qui déterminent le **statut** des personnes, des biens et des relations.

une convention •   • une situation dans un groupe

international(e) •   • qui concerne le citoyen

un code •   • un ensemble de lois

civil •   • qui concerne plusieurs pays

un statut •   • un accord entre plusieurs partenaires

10 RÉVISION Complétez ce texte à l'aide des noms et expressions suivants.

état civil – matronyme – patronyme – filiation

Depuis 2005, lorsque la.............................d'un enfant est établie, les parents peuvent choisir son nom de famille : soit le .... (du père), soit le ....(de la mère), soit les deux noms accolés. En l'absence de déclaration conjointe à l'officier de l'.............................mentionnant le choix du nom de l'enfant, celui-ci prend le nom du père.

11 RÉVISION Complétez ce texte à l'aide des mots suivants.

patronyme – filiation – décès – délivre – naturalisation – acte – nationalité

On peut demander un extrait d'.............................de naissance à la mairie du lieu de naissance (quand on est né en France), qui le ....souvent en quelques jours. Ce document administratif précise le ...., les prénoms et le sexe de la personne, son jour et son lieu de naissance, les mentions de mariage, divorce, séparation ou .... ainsi que les mentions relatives à la .... française (déclaration, perte,..............................). L'extrait d'acte de naissance avec .... , plus complet, comporte les noms, prénoms, lieux et dates de naissance des parents.

Le vocabulaire des SVT : les êtres vivants et leur classification

Voir le vocabulaire des SVT : l'action de l'homme et l'expérimentation scientifique sur www.bordas-cahiervocabulaire.fr

J'observe et je retiens

1 **OBSERVATION** Complétez les deux listes grâce aux mots du texte suivant.

La grive se nourrit en principe d'insectes, d'escargots, de limaces et de fruits. Mais en hiver, lorsque cette nourriture n'est plus disponible, l'oiseau se rabat alors sur les baies de gui disponibles dans les vergers, les haies et les bois de peupliers.

a. Animaux : grive – .... – ....
.... – ....

b. Végétaux : fruits – .... – ....
.... – .... – ....

> ### JE RETIENS
> **Les mots *animal*, *végétal* et *organique***
> L'étymologie latine des mots *animal* et *végétal* contient l'idée de vie : *animal* provient du nom *anima*, le souffle de vie, *végétal* du verbe *vegere*, être vif, vivant.
> Végétaux et animaux, organismes vivants, produisent la matière organique.

2 **RACINES** Complétez les mots en utilisant les racines latines suivantes.

herb(i) : herbe – *omn(i)* : tout – *carn(i)* : chair – *frug(i)* : fruit – *gran(i)* : graine – *pisc(i)* : poisson

a. ....*vore* : qui mange de tout

b. ....*vore* : qui se nourrit surtout de viande

c. ....*vore* : qui se nourrit surtout de fruits

d. ....*vore* : qui se nourrit surtout de poisson

e. ....*vore* : qui se nourrit surtout de graines

f. ....*vore* : qui se nourrit surtout de plantes

3 **RACINES** Complétez les mots en utilisant les racines grecques suivantes.

phyt(o) : plante – *zo(o)* : animal – *nécr(o)* : mort – *xyl(o)* : bois

a. ....*phage* : qui se nourrit d'animaux

b. ....*phage* : qui se nourrit de végétaux

c. ....*phage* : qui se nourrit de bois

d. ....*phage* : qui se nourrit de cadavres

> ### JE RETIENS
> **Les racines *-phage* et *-vore***
> Ces deux racines synonymes définissent les besoins nutritifs et le régime alimentaire des animaux : *insectivore* (qui mange des insectes), *phyllophage* (qui mange des feuilles).

4 **SUFFIXES** Transformez chaque verbe en nom commun à l'aide des suffixes suivants. Attention aux changements de radical.

-tion, -ation, -ment, -ion

Ex. : *se répartir → répartition*

a. occuper (un milieu) → ....

b. peupler (un milieu) → ....

c. migrer (d'un lieu vers un autre) → ....

d. germer → ....

e. disperser (des graines) → ....

f. se reproduire → ....

g. hiberner → ....

> ### JE RETIENS
> **Le verbe *hiberner***
> Ce mot a été directement tiré de l'adjectif latin *hibernus* (formation savante). Cette même racine a donné *hiver* (formation populaire), qui est la saison de l'hibernation pour plusieurs mammifères.

5 **SUFFIXES** Complétez le tableau suivant avec des mots de la même famille que le terme déjà donné.

nom	verbe
nutrition	se ....
....	se décomposer
dissémination	....
....	croitre
....	se reproduire

> ### JE RETIENS
> **La différence entre *nutrition* et *nourriture***
> La nutrition est le mécanisme d'assimilation de la nourriture par un organisme ou, plus généralement, l'apport d'aliments. Si elle est trop faible en éléments nutritifs, on parle de malnutrition.

6 **LE MOT DANS SON CONTEXTE** Lisez attentivement ce texte, puis replacez les mots suivants après leur synonyme en gras.

raisons – variété – croissance – dispersion – s'installe sur – conquête

La *Caulerpa taxifolia*, une algue verte originaire d'Australie, **colonise** (.......................................) les fonds marins de Méditerranée. Cette **colonisation** (..............................) est facilitée par trois **facteurs** (................................) : la **dissémination** (.................................) de l'algue par les courants marins, le fait qu'elle soit toxique et son **développement** (......................................) très rapide. Cette algue met en danger la **diversité** (...............................) des espèces animales et végétales présentes.

7 **SYNONYMES** Entourez l'intrus dans chacune de ces listes de mots de sens proche.

a. nutrition – changement – évolution – transformation

b. colonisation – modification – installation – conquête

c. consommation – nutrition – alimentation – croissance

d. dispersion – occupation – dissémination – diffusion

8 **FAMILLE** Complétez le tableau à l'aide de mots de même famille. Pour cela, modifiez les suffixes.

action	verbe	« objet »
nidification	....	....
germination	....	....
alimentation	....	....
expérimentation	....	....
pollinisation	....	....

9 **SUFFIXES** Complétez chaque phrase en transformant chaque nom ou verbe en gras en adjectif. Pour cela, utilisez le suffixe *-(at)eur*.

a. La fourmi, qui **colonise** de nouveaux espaces, est un insecte ....

b. L'abeille, qui transporte le **pollen** et féconde les fleurs, est un insecte ....

c. La cigogne, qui **migre** en Afrique durant l'hiver, est un oiseau ....

d. Le cloporte, qui transforme et **décompose** la matière organique morte, est un ....

10 **SUFFIXES** Transformez chaque mot en gras en nom commun. Pour cela, utilisez les suffixes suivants.

-ance, -ité, -té, -ation

a. Des espèces nombreuses et **diverses**

→ la .... des espèces

b. Deux espèces proches, **parentes**

→ la .... des espèces

c. Des espèces **classifiées** en fonction de critères

→ la .... des espèces

d. Des espèces qui se **ressemblent**

→ la .... des espèces

e. Une clé, c'est-à-dire un moyen de **déterminer** à quel règne, embranchement, etc., appartient une espèce

→ une clé de ....

11 **LE MOT DANS SON CONTEXTE** Lisez ce texte, puis reliez chaque verbe ou groupe nominal à son synonyme.

L'environnement a **une influence** sur **le régime** alimentaire des animaux, dont **les composantes varient** selon les saisons. L'été, par exemple, les oiseaux **consomment** des insectes et l'hiver, en l'absence d'insectes, ils se nourrissent de graines.

l'environnement ●   ● les éléments
une influence ●   ● changent
le régime (alimentaire) ●   ● mangent
les composantes ●   ● une conséquence
varient ●   ● le cadre de vie
consomment ●   ● l'habitude

12 **RÉVISION** Complétez les phrases suivantes par des mots terminés par la racine *-vore*. Aidez-vous des mots en gras.

a. L'ours, qui a un régime alimentaire **varié**, est ....

b. Le tigre, qui mange uniquement de la **viande**, est ....

c. Le héron, dont le régime alimentaire est essentiellement composé de **poissons**, est ....

d. Le gnou, qui mange de l'**herbe**, est ....

e. Les oiseaux sont .... en été (**mouches, vers,** etc.) et .... en hiver, quand il n'y a plus grand-chose d'autre à manger que des **graines.**

48 Le vocabulaire des mathématiques

1 RACINES Reliez chaque définition au mot qui lui correspond. Aidez-vous des racines données en italique.

a. mot qui provient de l'arabe *al-jabr*, « reconstruction » •

b. mot qui provient du grec : « mesure » (*metron*) de la « terre » (*gê*) •

• mathématiques

• algèbre

c. mot qui provient du grec *mathêma*, « connaissance » •

• arithmétique

• géométrie

d. mot qui provient du grec *arithmos*, « nombre » •

▷ JE RETIENS

L'origine des mots mathématiques

En majorité, ils sont d'origine grecque mais certains viennent de l'**arabe**, voire d'ailleurs : ainsi, le mot *zéro* provient de l'italien *zefiro*, lui-même issu de l'arabe *sifr*.

2 SUFFIXES Complétez le tableau en utilisant les suffixes suivants.

-aine, -ier, -ième

	multiplié par...	divisé par...
dix	diz..................	dix..................
vingt	vingt..................	vingt..................
cinquante	cinquant..............	cinquant..............
cent	cent..................	cent..................
mille	mill..................	mill..................

3 PRÉFIXES À l'aide des racines suivantes, formez les mots qui correspondent à chaque définition.

Racines grecques : *kilo-* de *khilioi* (mille) ; *hecto-* d'*hekaton* (cent) ; *déca-* de *deka* (dix)

Racines latines : *déci-* de *decimus* : dixième ; *centi-* de *centesimus* : centième ; *milli-* de *millesimus* : millième

Ex. : équivalent à un dixième de gramme : décigramme

a. équivalent à mille grammes : ....

b. équivalent à dix mètres : ....

c. équivalent à un millième de litre : ....

d. équivalent à un dixième de mètre : ....

e. équivalent à cent mètres : ....

f. équivalent à un centième de litre : ....

▷ JE RETIENS

Les racines *déca-* et *déci-*

Les préfixes désignant une mesure **inférieure à l'unité** se terminent par *-i-* et proviennent du **latin** (*décimètre*), les préfixes désignant une mesure **supérieure à l'unité** se terminent par *-o-* ou *-a-* et viennent du **grec** (*décalitre*). On retrouve la racine *déca-* dans les mots *décathlon* (**dix** épreuves sportives), *décasyllabe* (vers de **dix** syllabes) ou *décade* (période de **dix** jours ou **dix** ans).

4 FAMILLE Complétez le tableau en utilisant les mots suivants. Aidez-vous de leur racine.

cinquième – triple – quart – tiers – quadruple – demi – quintuple

	nombre multiplié par...	nombre divisé par...
deux	double	moitié ou ....
trois	....	....
quatre	....	....
cinq	....	....

▷ JE RETIENS

Le suffixe *-(u)ple*

Il provient des éléments **latins** *-plus* et *-plex*, que l'on retrouve encore dans les mots *duplex* et *triplex*. Il permet de construire les **adjectifs multiplicatifs** : *quintuple* (*quint*, cinq), *sextuple* (*sexte*, six), *septuple, octuple, nonuple, décuple*...

Je m'exerce

5 SUFFIXES Transformez chaque adjectif en nom commun à l'aide du suffixe *-ité*. Attention aux modifications de radical.

a. inférieur → ....

b. supérieur → ....

c. égal → ....

d. inégal → ....

6 SENS Entourez l'intrus dans chaque liste de synonymes.

a. observer – poser – effectuer – calculer

b. construire – tracer – réaliser – mesurer

c. déterminer – déduire – justifier – trouver

d. ajouter – donner – additionner

e. soustraire – retrancher – définir

7 CULTURE Complétez le tableau grâce aux mots suivants.

soustraire – quotient – différence – multiplication – diviser – produit

action	opération	résultat
additionner	addition	somme
....	soustraction	....
multiplier	....	....
....	division	....

8 RACINES Complétez les mots de ce texte. Aidez-vous des mots en gras, qui donnent la racine à utiliser et son sens.

*Ex. : Dans l' Antiquité, on **décimait** une armée en tuant un soldat sur **dix**.*

*→ La numération est appelée **décimale** car elle est fondée sur une base de dix.*

a. La **polyculture** est la culture de **plusieurs** plantes.

→ Une figure à plusieurs côtés s'appelle ....**gone**.

b. Troquer signifie échanger des objets **équivalents**, d'**égale** valeur.

→ On appelle « cercle » une courbe dont tous les points sont ....**distants** d'un même point (le centre).

c. Un **médiateur** se place **au milieu** du conflit.

→ La ....**trice** est une droite qui passe par le milieu d'un segment et qui lui est perpendiculaire.

d. Un **quadrige** est un attelage de **quatre** chevaux.

→ Une figure à quatre côtés s'appelle un ....**latère**.

9 LE MOT DANS SON CONTEXTE Complétez ce texte grâce aux mots suivants.

rayons – diamètre – cercle – centre – périmètre

Le .... est une sorte de soleil : son .... , c'est un peu le contour de l'astre. De son .... partent des .... Si deux d'entre eux s'échappent en même temps de son cœur et sont alignés, ils forment le .... du cercle.

10 RACINES Retrouvez le nom des différents triangles en vous aidant des racines grecques et latines indiquées en italique.

a. Mes deux jambes (*skelos*, en grec) sont de longueur égale (*iso*, en grec).

→ je suis le triangle ....

b. Tous mes côtés (*latus*, en latin) sont de longueur égale (*equi*, en latin).

→ je suis le triangle ....

c. Je comporte un angle (*angulus*, en latin) droit (*rectus*, en latin).

→ je suis le triangle ....

d. Sans signe particulier, je suis « n'importe lequel » (*qualiscumque*, en latin).

→ je suis le triangle ....

11 RÉVISION Complétez les phrases suivantes en utilisant les mots des exercices précédents.

a. 6 est le .... de 3.

b. 40 est le .... de 10.

c. 10 est le .... de 40.

d. 10 est le .... de 50.

e. 6 est le .... de 18.

f. 300 est le .... de 100.

12 RÉVISION Complétez ces phrases grâce aux mots suivants.

quotient – somme – produit – différence

a. La .... de 4, de 5 et de 1 est 10.

b. Le .... de 4 par 5 est 20.

c. La .... entre 5 et 4 est 1.

d. Le .... de 100 par 12 est 1200.

e. Le .... de 800 par 80 est 10.

f. Le .... de 20 par 4 est 5.

49 Le vocabulaire artistique

J'observe et je retiens

1 OBSERVATION Observez cette image et lisez le texte ci-dessous. Reliez ensuite chaque adjectif en gras à son synonyme.

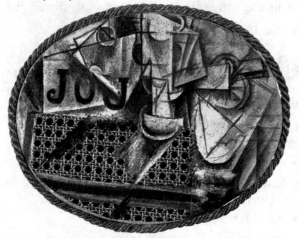

Nature morte à la chaise carrée, Pablo Picasso, 1912, musée Picasso, Paris.

Ce collage de Picasso utilise une technique **hybride** (huile, toile cirée et tissu). Le support, lui-même **composite**, est encadré de corde. Picasso a associé des objets **hétéroclites** (verre, citron, journal, tuyau à pipe, etc.), représentés de manière **dissemblable** (schématique pour le journal, plus réaliste pour le tuyau).

- hybride ●
- composite ●   ● différent
- hétéroclite ●   ● mixte
- dissemblable ●

2 ANTONYMES Reliez chaque adjectif à son contraire. Ils qualifient tous un son ou une image.

- grave ●   ● discontinu
- rare ●   ● silencieux
- continu ●   ● aigu
- sonore ●   ● translucide
- opaque ●   ● plein
- vide ●   ● fréquent

3 FAMILLE Transformez chaque nom en verbe. Pour cela, ajoutez un préfixe et/ou un suffixe.

a. corde → ....*cord*.......... un instrument

b. cadre→ ....*cadr*.......... un tableau

c. bord → ....*bord*.......... d'un cadre

d. harmonie → *harmoni*.......... une composition

e. limite → ....*limit*.......... un contour

4 ANTONYMES Reliez chaque nom à son contraire. Aidez-vous si nécessaire d'un dictionnaire.

- unisson ●   ● polyphonie
- translucidité ●   ● homogénéité
- monodie ●   ● dissonance
- hétérogénéité ●   ● opacité
- consonance ●   ● dispersion

▶ **JE RETIENS**

La polyphonie
Ce mot, qui contient les racines grecques *poly-* (*plusieurs*) et *phon-* (*son, voix*), désigne le fait de **chanter à plusieurs**, que ce soit à l'**unisson** (ensemble) ou **en canon** (en décalé).

5 SUFFIXES Transformez chaque verbe en nom. Pour cela, utilisez les suffixes suivants.

-ure, -ique, -age, -ition, -ation, -ement
Ex. : *modeler → modelage*

a. **rythmer** une mélodie
→ la .... d'une mélodie

b. **mouler** dans le plâtre
→ le .... dans le plâtre

c. **sculpter** un personnage
→ la .... d'un personnage

d. **exposer** une œuvre
→ l'............................... d'une œuvre

e. **orchestrer** une chanson
→ l'................................. d'une chanson

f. **accompagner** au clavier
→ l'... au clavier

▶ **JE RETIENS**

Œuvre et opéra
À l'origine, ces deux mots signifient la même chose ! *Œuvre* provient en effet du latin *opera*, qui signifie « ouvrage, activité ».

6 CULTURE **Complétez chaque définition à l'aide d'une des disciplines artistiques suivantes.**

architecture – peinture – dessin – collage –
cinéma – art numérique

a. combinaison d'éléments différents sur un même support : ....

b. procédé permettant d'enregistrer et de projeter des images en mouvement : ....

c. art de construire et d'aménager des espaces :

....

d. tracé de traits sur une surface plane : ....

e. création réalisée à l'aide d'un ordinateur :

....

f. application de couleurs sur une surface : ....

7 CULTURE **Reliez chaque élément de présentation à l'œuvre qui lui est traditionnellement associée. Aidez-vous si nécessaire d'un dictionnaire.**

piédestal ●   ● tableau
vitrine ●   ● statue
cadre ●   ● partition
pupitre ●   ● bijoux

8 SENS **Lisez ces phrases, puis reliez chacune d'elle à l'un des sens du mot *dimension*.**

a. Les tableaux de Henri Matisse sont souvent de petites **dimensions**.

b. Ses tableaux semblent « plats » : l'art de ce peintre ignore presque la troisième **dimension**.

c. Pourtant, leur **dimension** historique est grande : ils ont révolutionné la peinture !

a. ●   ● aspect, portée
b. ●   ● taille, grandeur
c. ●   ● profondeur, perspective

9 LE MOT DANS SON CONTEXTE **Lisez ces phrases, puis reliez chaque mot à son synonyme.**

a. Frédéric a une voix grave et profonde : il a une **tessiture** de basse.

b. Dans ce tableau, le **contour** de chaque objet est tracé au crayon.

c. La **transition** vers la partie suivante est assurée par les violons.

d. On trouve plusieurs fois chez ce peintre le **motif** géométrique du cercle.

tessiture ●   ● forme répétée
contour ●   ● passage
transition ●   ● registre, hauteur
motif ●   ● bord

10 CULTURE **Replacez les éléments suivants dans la légende de l'image.**

public – cuivres – chœur – solistes – bois –
cordes – chef d'orchestre

1. ....

2. ....

3. ....

4. ....

5. ....

6. ....

7. ....

11 CULTURE **Replacez ces mots et expressions dans les phrases ci-dessous.**

timbre – accompagnement – polyphonique – temps –
rythmique – a cappella – pupitre – air – partition

a. La mesure est une structure .... organisée en une succession de ....

b. Sans .... instrumental au piano, sans chœur et de façon .... , les trois chanteurs, parfaitement accordés, ont exécuté la partie .... de cet opéra.

c. Cette chanteuse a un .... de voix aisément reconnaissable quand elle chante un .... d'opéra.

d. Le musicien place sa .... sur un .... métallique devant lui.

Crédits photographiques

P. 27   Ph. © THE PICTURE DESK/Dagli Orti/British Library

P. 32   Ph. © THE PICTURE DESK/Coll. Dagli Orti/Bodleian Oxford

P. 33   Ph. © Romain Cintract/Hemis/CORBIS

P. 37   Ph. © Mediacolors/ANDIA.fr

P. 39   Ph. © D.R./Adagp, Paris 2009

P. 45   Prod DB © Walt Disney-Pixar-Animation Studios/D.R.

P. 49   Ph. © SUCRE SALE/Nicoloso

P. 50   Ph. © THE PICTURE DESK/Coll. Dagli Orti

P. 53   Ph. © AKG/Werner Forman

P. 55   Ph. © THE PICTURE DESK/Coll. Dagli Orti

P. 57   Ph. © SUNSET/Brousse Pascal

P. 65   Ph. © CORBIS/N. Darbellay/Sygma

P. 69   Ph. © RMN/ Agence Bulloz

P. 71 HT G   Ph. © RMN/Hervé Lewandowski

P. 71 HT D   Ph. © THE PICTURE DESK/Dagli Orti/Musée Archéologique de Milan.

P. 71 M G   Ph. © THE PICTURE DESK/Coll. Dagli Orti

P. 71 M M   Ph. © BRIDGEMAN/Archives Nationales, Paris/Archives Charmet.

P. 71 M D   Ph. © THE PICTURE DESK/Coll. Dagli Orti/Palais de Tau, Reims/Laurie Platt Winfrey

P. 71 BAS M   Ph. © THE PICTURE DESK/Coll. Dagli Orti

P. 76   Ph. © RMN/Hervé Lewandowski

P. 78 HT G   Ph. © CHRYSLER MUSEUM of ART

P. 78 M M   Ph. © THE PICTURE DESK/Coll. Dagli Orti

P. 78 BAS G   Ph. © RMN/Gérard Blot

P. 79 HT D   Ph. © AKG/Peter Connolly

P. 79 M   Ph. © AKG/Peter Connoly

P. 79 BAS D   Ph. © AKG/Gilles Mermet

P. 85 HT   Ph. © LEEMAGE/Photo Josse

P. 85 M   Ph. © BRIDGEMAN/Mark Fiennes

P. 85 BAS   Ph. © THE PICTURE DESK/Coll. Dagli Orti

P. 88 HT   Ph. © AKG/Erich Lessing

P. 88 BAS   Ph. © CORBIS/Philadelphia Museum of Art

P. 89 HT G   Ph. © MARY EVANS PICTURE LIBRARY/Edwin Wallace

P. 89 HT D   Ph. © LEEMAGE/Photo Josse

P. 89 M D   Ph. © BRIDGEMAN

P. 91 EXERCICE 7 DE GAUCHE À DROITE ET DE HAUT EN BAS
Sculpture égyptienne (XVe siècle av. J.-C.) représentant un pharaon, musée égyptien du Caire. © AKG/Andrea Jemolo
Fresque de Pompéi, musée archéologique de Naples. © THE PICTURE DESK/Coll. Dagli Orti
Cratère grec du IVe siècle av. J.-C., musée de Tarante. © THE PICTURE DESK/Coll. Dagli Orti
Mosaïque romaine du 1er siècle, musée archéologique de Naples. © THE PICTURE DESK/Coll. Dagli Orti
Bas relief achéménide du IVe siècle av. J.-C. © THE PICTURE DESK/Coll. Dagli Orti

P. 91 HT D   Ph. © THE PICTURE DESK/Coll. Dagli Orti

P. 91 BAS D   Ph. © BnF

P. 95   Ph. © AKG/H. Champollion

P. 100 HT   Ph. © HEMIS/P. Jacques

P. 100 BAS   Ph. © URBA IMAGES/D. Schneider

P. 101   Ph. © GETTY IMAGES/David Steele

P. 110   BIS/Ph. © Archives Nathan © Succession Picasso 2009

P. 111   Ph. © Roger-Viollet/Ullstein Bild

CONCEPTION COUVERTURE ET INTÉRIEUR : Véronique Lefebvre
DIRECTION ARTISTIQUE : Pierre Taillemite
MISE EN PAGES : Brigitte Mougin
ILLUSTRATION DE LA COUVERTURE : Frédérique Vayssières
ILLUSTRATIONS : Maud Rieman (p. 16, 20, 23, 42, 65, 68, 73, 75, 81, 82, 87, 95, 97, 107, 108), Frédérique Vayssières (p. 8, 37, 89, 96, 102)
RECHERCHE ICONOGRAPHIQUE : Valérie Vidal
DIRECTION ÉDITORIALE : Catherine Gaschignard
ÉDITION : Charlotte Dordor
CORRECTION : Sergine Greley, Delphine Aslan
FABRICATION : Jean-Philippe Dore

MIXTE
Papier issu de sources responsables
FSC® C022030

N° projet : 10224650
Dépôt légal : juin 2015
Imprimé en Italie
par Stige